北京市宏雅清文文化传播有限公司 ◎ 出品

向着太阳走

闫星华 ◎ 著

图书在版编目（CIP）数据

向着太阳走 / 闫星华著. --北京：华夏出版社有限公司，2022.6
ISBN 978-7-5080-8169-4

Ⅰ.①向… Ⅱ.①闫… Ⅲ.①长篇小说—中国—当代 Ⅳ.①I247.5

中国版本图书馆CIP数据核字（2022）第075784号

向着太阳走

作　　者	闫星华
责任编辑	刘　伟
责任印制	周　然
出版发行	华夏出版社有限公司
经　　销	新华书店
印　　装	三河市少明印务有限公司
版　　次	2022年6月北京第1版 2022年6月北京第1次印刷
开　　本	710mm×1000mm　1/16
印　　张	13.75
字　　数	189千字
定　　价	58.00元

华夏出版社有限公司　　地址：北京市东直门外香河园北里4号
　　　　　　　　　　　邮编：100028　　网址：www.hxph.com.cn
　　　　　　　　　　　电话：（010）64663331（转）

若发现本版图书有印装质量问题，请与我社营销中心联系调换。

目录

楔子 / 001

1　落脚越南海防　立志重操旧业 / 003

2　孝子继承父业　开局奉行德善 / 008

3　门第喜得贵子　窑上土变黄金 / 012

4　凭海搏击风雨　萌发爱国激情 / 017

5　赤子归国求学　途中屡遭凶险 / 021

6　饿狼毒蜂挡道　幸蒙同胞相救 / 027

7　绽放青春之旅　投入祖国怀抱 / 032

8　迈进勤勤校门　幸得恩师眷顾 / 036

9　归家心不在焉　抗日之志弥坚 / 041

10	洗铅华赴国难	奔延安箭难收	/	046
11	冲破家庭阻力	誓做报国儿郎	/	052
12	拒享安逸生活	向往革命圣地	/	062
13	一言感动匪首	少年绝地逢生	/	072
14	青涩豆蔻年华	难得老谋深算	/	084
15	雨中雄鹰展翼	路歧难阻前行	/	087
16	毛公礼物二件	伴其奋斗一生	/	093
17	大熔炉里锤炼	革命圣地建功	/	100
18	服从组织安排	下乡组建农会	/	106
19	当机立断战匪	枪法精准获敬	/	113
20	夜以继日宣传	走村串户谈心	/	118
21	发挥农会作用	支援前线灭寇	/	123
22	锄奸佞遭禁闭	赤子无愧天地	/	129

23	参加百团大战　请缨斩关夺隘 /	**136**
24	火线掩护战友　得草英勇献身 /	**142**
25	叶家治病养伤　小石山头泪下 /	**148**
26	板荡神州多魅　归队路上逢凶 /	**155**
27	军人令行禁止　转业银行称能 /	**162**
28	前辈艰苦创业　筚路蓝缕开山 /	**172**
29	防范敌人破坏　平息货币纷争 /	**176**
30	奠鸿基于战火　创伟业于经年 /	**180**
31	日寇蚕食"扫荡"　银行转移频繁 /	**188**
32	发小成脱缰马　雨田不念旧情 /	**196**
33	五星红旗升起　向着太阳走去 /	**204**

后记　/　**211**

楔　子

广东虎门炮台。

英军指挥官义律和红衫军在已被他们炸得坍塌的炮台前狂笑。

兵临城下，清廷官员吓破了胆，哆哆嗦嗦地赶紧与英国人签订了丧权辱国的《广州和约》，以求息事宁人。

自此开启了中国近代史的悲惨世界：社会动荡，战乱频仍，赋税繁重，民生凋敝……

东南沿海的老百姓受列强入侵影响最大，过着朝不保夕的日子。不堪重负的人们纷纷背井离乡，冒着生命危险去异国他乡谋生。

崎岖的山路上，携妻带子的逃难者络绎不绝，惊慌失措的人们哀号不止。

一位叫邹国仁的中年男子挑着沉重的担子，担子的一头是锅碗瓢盆，另一头是一个瘦小的男童。

邹国仁踉跄的脚步，在他女人的眼里忽而幻化成汹涌的波涛，忽而又幻化成乡间路上涌动的大批难民，扶老携幼，杖履相随……

邹国仁突然放慢了脚步，疲惫的目光眺望四周，见此地气候宜人，海天一色，帆影点点……又瞅瞅脚下的黄土，他那土灰色的脸颊闪出了一丝含而不露的笑意。

邹国仁伸手捅捅身边的妻子，脚步慢慢地移出了潮涌般的人流。他把担子放在路边的大树后面，脱离了众人的视线。

妻子似乎明白了丈夫的用意，躬下身，佯装给筐篓里的儿子喂水。

邹国仁蹲在妻子身边小声说："我们从南海泌冲一路走来，已经三个多月了……实在走不动了，我想在这儿落脚，你看行不？"

妻子睁开疲惫的眼皮，瞅着丈夫问："这是啥地方？"

邹国仁回答道："越南的海防市，靠近中国陆上国界的最南端。这里的风土人情与咱们广东泌冲差距不大。一是这里的语言能听懂，方便与越南人交流；二是在此地谋生，也不会有太多的闪失。"

妻子抬起头放眼望去，朝四周环顾了一会，才慢慢把目光收拢回来，满意地冲丈夫点点头说："气候跟广东差不多……"

这时，一位中年男子从后面走上前，对邹国仁说："邹大哥，怎么停下啦？通往新加坡的客船马上要开了，抓紧赶路吧！"

邹国仁一扬手，冲中年男子说："兄弟，你先走吧，我要歇歇脚。"

中年男子扬手离去。

邹国仁呆望着暮色中的原野，看着远远近近的村落，又蹲下身子抓起一把黄土，细细地捻着、搓着、看着。心想：落脚吧，虽说哪里的黄土都埋人，可是唯有这里的黄土才会让我使出浑身的力气！

夕阳西下，金色的余晖照在一望无际的海滩上，灿烂了半个世界。

邹国仁羡慕地瞅着暮色中扛着农具回家的越南农民，自言自语："大清皇帝求和卖国，子民无奈背井离乡。唉，世道不由人，就此落脚吧！"

待路上没有了人影，妻子才把一口铁锅支在三块石头上，开始准备晚饭。所谓的晚饭，也就是采一些山野菜，再放半碗苞谷面，熬几碗菜粥填饱肚子而已。途中三个月，渴了，或山泉或河水，趴在地上如牛一样喝个沟满壕平；饿了，有人烟处便称奶呼婶地讨两碗稀粥或要两个苞谷饼子填肚皮，无人烟处就寻三块石头架起那口铁锅，拾掇一搂干柴，野菜谷米放进锅里添水一熬，便是一顿饱餐；到了晚上，或古庙或山洞或村子里的柴垛、屋檐，凡能避风遮雨的地方，倒下便睡。身旁，一边是妻子，一边是儿子，脚下是那两只没了沿的箩筐。

暗夜里，邹国仁与妻子和儿子邹成海蜷缩在山洞里，像三个喘气的困兽，望着山水连天、混沌沉重的世界。

天地间日出，日落，青黄，黄青。

1

落脚越南海防　　立志重操旧业

邹国仁与妻子搬石和泥，建房垒灶，情景依然是浑黄与沉重。

一个月后，街市的一隅，一座小小窝棚便在那道浑圆的土冈落成。邹国仁的家舍与无数华裔的屋顶上的烟囱一样，终于升起了一缕缕炊烟。

许许多多的男人、女人、老人和孩子，为了生计，大都在街市或深巷里经营着自己的买卖，邹国仁却与妻子在自家的草房后面忙碌着和泥砌窑。

广东同乡马德轩老人拄着拐棍，蹒跚走来，一脸不可思议地问邹国仁："大兄弟，盖鸡窝呀？"

邹国仁停下手里的活儿，弓着身子笑道："盖啥鸡窝呀！我想建个烧窑，再把老本行捡起来试把一下。"

马德轩竖起大拇指说："贤弟，真有你的！越南这地方，锅、碗、瓢、盆紧缺呀，在这地儿开窑，不发财——那是不可能的。"

邹国仁笑笑说："是啊，咱老祖宗说得好：'窑乃地生宝，砖为土变金。'家家有需求，人人用得上啊！"

马德轩说："国仁，你儿子成海跟你的脑瓜一样灵性，在学堂里考试，每次都数一数二，真是有其父必有其子啊！"

邹国仁回答道："马兄，过奖了，你儿子马世玉也不赖啊！学校开运动会跑了个第一，整个海防市都传开了！"

马德轩笑道："兄弟，开窑那天，我把所有的华人都喊过来，给你庆贺一下可否？"

邹国仁拱手抱拳："谢马兄抬爱，我多买几坛老酒，让大家喝个痛快！"

海防市是越南北方最大的海港城市，其规模仅次于河内和西贡市（当下的胡志明市），但没有一个经营窑业的人，城乡居民用的缸、盆、碗、罐等大都从中国进口而来。越南的乡下人家使用的炊具大都是木制的，不但笨拙粗糙，使用起来也很不方便。

邹国仁看好了这一商机，便在建房之前选了一块泥土尚好的地盘，又悄悄地买了一只公鸡，提了两坛老酒，请了一位当地有名的风水先生，择了黄道吉日后，便肩担、背驮从三里五里或十里八里外运来了砖石，开始起早贪黑地砌，风雨不误地垒。两个月后，不但建起了三间草房，一座崭新的烧窑也从他家房后的半山坡上拔地而起。

因财力和人力有限，邹国仁造的这座窑自然是极小的单孔窑，高不过八尺，阔不过丈余，是一个下粗上细，形如马蹄样的马蹄窑。

烧窑建成后，还得等土坯和窑体一日日阴干透彻，如果不干透便点火，就会把窑体烧裂。这期间，邹国仁便开始和泥脱胎，或缸或盆或罐或钵，足够装满一窑时，窑体也干透了，这才开始装窑、点火。

点火之日，必定要选在清明节这天，这是老祖宗传下的规矩。至于什么说道、什么讲究，邹国仁也不知晓，只是照例行事而已。

清明节的那天早晨，邹国仁早早起了床，将一副事先准备好的大红对联贴于窑门的两侧。对联上写着：天降一炉老君火，地生万家安乐春。

日头刚一冒红，他便将那一挂高高悬起的响鞭点燃，在那火爆的噼啪声中，左邻右舍的华裔汉子们很快坐满了酒席。大家只要上了酒桌，必定要喝得一醉方休。因为酒为水，水主财，酒水长流，财源才能广进，才能长远。一席酒，醉了一群东倒西歪的汉子，也醉了窑主邹国仁的心。

一把火从清明节这天燃起，越过谷雨、立夏、小满、芒种、夏至、小暑、大暑、立秋、处暑、白露、秋分、寒露，至霜降熄火，不长不短整好六个半月，才算作一个年头的收成。

到窑前买缸、买盆、买罐的越南人络绎不绝，但很少有拿现钱购买的，大都以粮食兑换。一个年成下来，邹国仁的腰包不但鼓了起来，大仓小囤也都满了流了。于是，还要宴请左邻右舍，再次喝醉一群华裔汉子和越南壮仔。

一窑窑烧下去，一年年烧下去，窑上便有了雇工，柜里也多了余钱。可邹国仁身上穿的依然是缀了几层补丁的青布衫，嘴里吃的也依然是自家地里长的稻子和萝卜、白菜。

儿子邹成海虽然是邹家的独苗，但在吃穿用上，邹国仁要求儿子必须跟普通人家的孩子一样，不得有任何特殊。邹国仁对溺爱儿子的妻子说，"成由勤俭破由奢""爱子如杀子"。

有一次，学校召开运动会，老师让学生自带午餐。邹成海回家跟母亲说过，母亲便偷着给儿子蒸了几个白面馒头和做了一罐肉丝辣酱。

那天，邹国仁不知哪来的兴趣，非要拉着老伴去学校观看运动会。午餐时，其他同学都在吃苞米面饼子就咸菜疙瘩，只有儿子一人特殊，吃的是白面馒头和肉丝辣酱。

在同学面前，邹国仁一声没吱，他不动声色地把儿子叫到一边，劈头盖脸地把老伴和儿子好个训斥。他说：人世间所有的灾祸，都是由不公平引发的。别人家的孩子吃苞米面饼子，唯有我家的孩子吃白面馒头。从表面上看也没啥大不了的，但久而久之就会惹祸上身。中国人早就有"不患寡而患不均"的告诫。除此而外，成海还会慢慢滋生出"唯我独尊，人不如我"的优越感。到时候别说继承家业、孝敬父母了，恐怕连做人都成枉然。

老伴听了邹国仁的话，深知闯了祸，连连向夫君道歉，表示仅此一次，日后一定严于律己，不敢溺爱儿子半分。

邹成海瞅着父亲，怯怯地把刚吃了两口的馒头塞到了母亲手里，并向父亲认错："父亲，这不怪母亲！是儿子为了在同学面前摆阔，才跟母亲提出了额外要求。儿子听了您的教导，日后永不再犯类似错误！"

邹国仁从老伴手里拿过那个刚吃了两口的馒头，随手扔给了不远处寻食的一条狗，慢慢地回过头，语重心长地对儿子说："成海，爸爸这样做，为的是给你一个警告。以后，在同学面前，不得有任何优越感！农家孩子能吃的、能穿的，你也一样可以。"

过了片刻，邹国仁怕儿子接受不了他的这种做法，又心平气和地说："爸爸像你这么大的时候，听你爷爷讲过一个故事。这个故事就发生在我们的故乡南海。一家王姓窑主，家财万贯，可全家老小都不善良，克扣窑工，无恶不作。贫汉打一年的长工（六个半月），能挣十来石稻谷。那王姓窑主为了把付出去的工钱再捞回来，便在家里开设了赌场，什么骰子、牌九、纸牌应有尽有。辛苦了一年的汉子，手里有了钱粮，便忘记了家中老小，有人一夜输掉了一年的劳金，还有的输掉了家里的房子和老婆。这些窑工，今儿我输你，明儿你输我，流水的钱粮铁打的钉，你赢我赢谁也赢不过窑主的那盏洋油灯。那王姓窑主还投其所好，在自家厢房里设了窑房，从城里招来几个妓女，引诱那些精壮汉子演些炕头把戏。几天下来，窑工一年的血汗钱便被窑主抽得干干净净。随之便发生了因赌博被打断了腿、砸破了脑壳，或因风流之事引发的白刀子进去红刀子出来的搏杀。那个王姓窑主，用捞来的不义之财建了一座几出几进的四合院，雕梁画栋，相当气派。没想到还没享受两年，便在一个风高月黑的夜晚被几个蒙面人绑了肉票，那座占地百亩的四合院也在一场大火中化为灰烬。后来听说，那几个绑票的、点火烧了四合院的人，都是被王姓窑主榨尽了钱财而走投无路的窑工们干的。"

邹国仁对儿子说："你爷爷活着时，对爸爸只叮嘱一句话，多读圣贤书，少做歪理事；多行慈善道，拒贪不义财。儿子，眼下虽说咱邹家过上了吃穿不愁的日子，但这都是老天护佑、众人抬举的结果。我们邹家老少应该感恩戴德，不能忘了别人对我们的恩赐。你还小，首先要学会做人，以后才能做好事、做大事。"

邹成海面对父亲深深鞠一躬，说："爸爸，儿子永远记住您的话，做好人，行好事，光宗耀祖！"

邹国仁点点头说："爸爸老了，等你学业有成之后，这份家业就交给你经营了。你不把人做好，爸爸怎么能放心得下啊！"

邹国仁聪慧贤达，积德行善，每年都向当地的穷人施舍一些钱物。对一些拿走了盆罐，却几年付不起钱粮的老人，一律给予减免或赠送。一次，一位越南老人买了一套瓦盆，没走出窑地就摔了一跤，把捧在怀里的五件瓦盆摔碎了。老人坐在地上痛哭不已，说回家后无法向老伴交代。邹国仁见状二话没说，急忙给老人拿了一套新盆，没另收一分钱。老人感激不尽，连连磕头作揖。

邹国仁的善举，不但在华人圈里备受敬重，在越南民众中的口碑也很好。他经过十多年的艰辛打拼，相继在越南东湖开了一处颇具规模的农场，并在海防闹市区开了一家陶器店。因他的产品物美价廉，生意搞得风生水起，红红火火。三年后，又在海防市的繁华地段建起一座占地上百亩的四进四出的四合院，成为当地知名度很高的富华商。

2

孝子继承父业　开局奉行德善

　　天地之间，一年年的青黄、黄青。窑门口一次次的点火、熄火。当爷爷的那辈人慢慢熬进了黄土，孙辈人的嘴巴也渐渐长出了绒毛。邹国仁亲手建起的那座单孔马蹄窑，在他去世后的第二年便在儿子邹成海手里变成了多孔方窑。缸、盆、瓦、罐等不但发展成了系列产品，而且占领了越南城乡的整个市场。越南的国土面积只有30余万平方公里，比云南省还小一点，那时全国人口也只有两千来万。脑瓜活络的邹成海把生意开拓到了越南全国。

　　后来，曾经在邹家窑上做过多年活的马大个儿等三个窑工，见邹成海生意兴隆，日进斗金，也生出了几分躁动。三人辞别邹家窑，合伙开了一座新窑。可是，不知是因为他们的手艺欠缺，还是工序有误，反正同样的黄土、同样的烧法，烧出来的盆、罐却有不一样的成色。人家邹成海的窑烧出来的盆、罐，拿在手上一敲，发出的是"咣咣"的金属般的脆响。而他们烧出来的盆、罐拿在手上一敲，发出的却是破喇喇的碎音。因为质量问题，一个瓦盆的价钱比邹成海的便宜一半，饶是如此用户还是不认他们的账。积累了手艺，便是积攒了钱财，烧制盆、罐的技艺邹国仁父子是断然不会外传的。

　　马大个儿们本以为在邹家窑上干了十几年，已经掌握了烧窑技艺，才生出了另起炉灶的主意。没想到勉强支撑了两年，就干不下去了。怒从心头起，恶从胆边生，他们背地里打起了邹家的主意。一天黑夜，马大个儿三人趁邹成海到西贡市洽谈生意的机会，悄悄地雇了三辆马车来到邹家窑前，把刚刚出窑的缸、盆、瓦罐洗劫一空。

事也凑巧，邹成海在西贡市谈完业务已是掌灯时分，他顾不上一天的劳累，便匆匆忙忙往家里赶。因为按照合同期限，三天之内邹成海作为甲方必须把货发给乙方。一贯办事严谨的邹成海不敢懈怠，谢绝了乙方已经备好的盛宴，连夜乘车返回海防市。

邹成海开的这辆名闻遐迩的拉风牌小轿车，是他在父亲邹国仁去世后，为了拓展市场业务才花重金买下的。因为是夜间行车，路况又不太熟悉，回到海防市已过半夜。

当邹成海把轿车拐进窑厂与四合院之间的岔路时，发现迎面驰来三辆装满陶器的大马车，赶车的好像是两年前在邹家窑上辞职的马大个儿。路面不宽，没有错车的地方，邹成海只好把轿车退到了三岔路口的宽敞地方。邹成海没有下车，他知道碰上了盗贼。因为每次发货都由他一手安排，没有他的指令，所有的陶器是出不了厂门的。

邹成海想让盗贼的马车赶过去，不想与他们照面。知事明理的邹成海知道，冤家易结不易解，如果与盗贼结下了梁子，别说日后如何发展，恐怕连个安生的日子都不会有。

这时，邹成海忽然想起父亲邹国仁临终前跟他说的一番话：得饶人处且饶人，给人让条生路，自己才得安生。

邹成海拍拍脑门，似乎清醒了许多。当务之急，要先放他们走，余下的事过后再做打算。于是，他坐在轿车里不动。可是，等了好一会儿，也不见马车赶过来。

这时，马大个儿他们也发现了轿车，正在商量如何面对邹成海邹掌柜的事儿。高五建议弃车而逃，但三个车主不干，他们扯住马大个儿的衣襟说："我们出车拉脚是为了挣钱养家，你们偷鸡不成不能让我们倒蚀一把米。一辆马车好几万，你们跑了，我们不但挣不到车脚钱，还会被官府抓去法办。"

马大个儿一听也在理儿，一跺脚说："脑袋掉了碗大的疤，一人做事一人当！你们在这儿等着，我去面见邹掌柜。"说着，径直朝轿车走去。

不到一盏茶的工夫，马大个儿兴冲冲地跑回来，对三个车老板说："车脚钱照给！把车赶到海防码头装船，明天运到西贡市。"话一落地，大家顿时愣在那里，不知发生了何种变故。

原来，马大个儿见到邹成海后，就"扑通"一声跪在地上，声泪俱下道："邹掌柜，我姓马的不是人，想把您的陶器偷到我们窑上，帮我们渡过难关……"

马大个儿如此这般哭诉了一番，邹成海更加相信了自己的判断。于是，他心平气和地说："马大哥，不许说偷，要说借！你和高五、刘树三人在我邹家窑上干了十多年，我父亲把你们当成自己的亲人，你们也没把邹家当外人。我们老一辈和小一辈如有对不起你们的地方，请多多包涵！只是马车上的这批货已经有了买主，得先给它们发走，你们想借货，等到下一窑再来可否？"

马大个儿万万没有想到，邹成海会说出如此大仁大义的话来，明明是来偷的，他却说是来借的，天底下哪有这等好人啊！他感激涕零地说："邹掌柜，只要你不报官，日后我们仨就是给您当牛做马，也不说一句熊话！"

邹成海把马大个儿从地上扶起来，说："都是自家兄弟，我怎么能忍心报官呢？马兄，如果方便的话，你帮我把这批货送到码头装船，明天发往西贡码头，车脚钱和搬运费全由我出，你看如何？"

马大个儿连连说："邹掌柜请放心，我一定万无一失把货发走！"说到这儿，他又吞吞吐吐地说："邹掌柜，我，我……"

邹成海不知马大个儿还有何事，不解地问："马兄，有事就说，休要客气嘛！"

马大个儿说："邹掌柜，我和高五、刘树三人，还想回邹家窑上做工，不知可否？"

邹成海思忖片刻，笑笑说："若不嫌弃，当然可以！"

自父亲邹国仁去世后，邹成海便继承了父亲的美德，一不吃喝，二不嫖赌，把整个身心都用在了开拓窑业上。除了担水和泥,就是脱坯造型。他在原有的基础上,又创新了几款便于民众使用的新产品,譬如带鼻的陶罐、带把的水罐,深受当地人的喜欢。他还像父亲一样,每年要拿出一定数额的钱物,为孤寡老人或贫困学童解决燃眉之急。不到两年,他便被当地华侨组织推举为海防市华商联合会会长。

闲下来没事时,马大个儿和高五、刘树三人就坐在邹家窑前的土坯上抒发一下心里的感慨:若不是邹会长大人大量,咱们三个就蹲大狱了,哪里还有咱们的今天?邹家父子真是天底下少有的大好人啊!

马大个儿不止一次说:"从今以后,咱们三个若做出半点对不住邹家的事儿,就不够个'人'字!"

后来,马大个儿当上了邹家窑上的大管家,高五和刘树也被提升为西贡和河内两大城市的陶器销售店大掌柜。

3

门第喜得贵子　窑上土变黄金

　　1920年10月,邹成海的儿子在一幢典雅美丽的法式别墅呱呱坠地。中年得子的邹成海自然是欢天喜地。他膝下有两个女儿,虽然长得乖巧伶俐,活泼可爱,但深受中国传统思想影响的邹成海对邹家的唯一男丁要比对两个女儿重视得多。为了给儿子起个有意义的名字,邹成海朝思暮想,几乎翻遍了《康熙字典》。他自嘲为了给儿子起个大气的学名,差点熬白了头发。经过一番冥思苦想,终于为儿子取了个自己比较满意的名字——邹文岳。他希望儿子长大后尚文,同时像岳飞那样深明大义,报效国家。

　　邹成海对中华民族的传统文化崇敬有加,儿子邹文岳刚满六岁便对他进行启蒙教育。先是在自己家里为儿子开办了一所私塾,并高薪聘请了一位华裔老学究,专门教授儿子诵读"三字经""百家姓"和"千家诗"。

　　邹成海白天忙完窑上的活儿,晚上回到家必先考问儿子的学业。老先生怕东家嫌他讲课不够用心,更是暗暗加大学习压力,每天让小文岳必须背熟两首唐诗。

　　邹成海时常回忆起自己的童年时代,父亲在那样艰苦、贫穷的环境里,从牙缝里挤出几个铜钱,送他到越南的小学堂里学习,还经常叮嘱他说:"识文断字的人,才是被人敬重的人。"

　　随着年龄的增长,邹成海对父亲邹国仁的言传身教更是心领神会,感慨万端。父亲为了躲避国破家亡的灾难,用挑筐把他从广东南海挑到了越南海防。

邹国仁先后把儿子送到越南的时习中学、华侨中学、圣查理书院等新式学堂学习。这些学校讲授的大多是自然科学、音体美和法语、英语等课程，可以让儿子打开认识中国与世界的窗口。

越南的华侨中学与中国内地的私塾相似，均以教授国学为主。学生每天上早课前，先要给孔夫子磕头，之后再分年级诵读四书五经、唐诗宋词、楚辞汉赋等。邹成海不负父望，勤学善思，博闻强记，无论是国学还是新学，几门功课总是名列前茅。他不但深受老师和同学们的喜爱，一位叫阮氏桂的女同学对邹成海更是暗生情愫，最终成了他的妻子。

在文化传承方面，越南人总体上接受的是中国儒家思想，风俗习惯也跟中国差不多，一直保持着中国的农历节日，譬如春节、端午节、中秋节等重大节日。特别是越南的北方人，待人友善，讲究礼尚往来，跟中国人相处得很融洽。

"家"对中国人有着特殊的意义，从家庭到家族、到国家，中国人以"家"为纽带，安身立命、构建社会、管理国家、治理天下，世代相传。越南北方人的家庭文化，与中国内地的生活习俗基本相似，在生活中体现得淋漓尽致。

邹成海的妻子阮氏桂，是个地地道道的越南姑娘，也是他从小学到中学的同班同学，可谓是青梅竹马，两小无猜。他对妻子说："眼下，我们邹家不缺钱、不缺物，缺的是经世致用的人才。当年，我中学毕业后本应该回国念大学，为国家效力，可是，又不好违背父亲固守家园的意愿……所以，我的所有梦想，只能寄托在儿子身上了。文岳尚小，我们必须从眼下抓起，让他学好中华民族的传统文化，将来也好替我为我的祖国做一番事业。"

阮氏桂不但善良贤惠，还是一位相夫教子的新型女性。她跟丈夫说："文岳才六岁，正是在母亲怀里撒娇、玩耍的年龄，老先生教他一个孩子，文岳孤单、没有陪伴，久而久之会生出厌烦，倒不如招几个年龄相仿的孩童来私塾给他伴读。"

邹成海听罢妻子的话,觉得很有道理,当即决定把窑上给邹家做工的长工的孩子全部招纳进来,陪伴儿子文岳一起学习。

马大个儿和高五、刘树听到这一消息,十分激动地说:"俺们做梦都没想到,咱穷人家的崽子还能走进邹家的大院读书。"

高五说:"咱要是不给邹会长好好干活,那就太不够人味儿了!"

刘树努着嘴说:"这两年,我都把肠子悔青了!你们凭良心说,邹家辈辈对咱不薄呀,为啥要对邹家起歹心呢?偷了人家两窑陶器,邹会长不但没报官,对咱还这么厚待,咱仨再不实心实意地给邹会长卖力干活,都不如一条狗了。"

马大个儿一扬手说:"一切都怪咱财迷心窍,脑袋发昏。好了,过去的事就别提了!以后,咱仨谁敢对邹家做出不三不四的事儿,就天打雷劈!"

招收雇工家的孩子入塾读书,不但马大个儿三人感动不已,就连邹家大院里的十几号佣人,也都高兴得几宿没睡好觉。他们既高兴,又觉得难以置信,天底下竟还有这等好事!大家除了尽心尽力做事,还能用什么报答邹家呢?

邹成海为人善良,除了源于小时候父亲的言传身教外,还来自打小接受的中国传统文化教育。在漫长的商海搏击生涯中,他对家园的归属感越来越强烈。他认为最能打动人心的,莫过于关心和爱护每一个雇工、佣人的后代。这是人类本性的一种认同,也承载着一种责任,延续着一种情怀,彰显着一种精神。虽然身在异国他乡,但对自己的国家,自己的祖先、故园不能忘记,更不能忘记父辈们因为国破家亡而长途迁徙以寻找安稳之所的不易。要想把这些悲壮的历史传承给下一代的华裔子孙,就必须从娃娃抓起,从学习中国传统文化抓起。

邹成海对妻子阮氏桂说,《周易·象传》里说"蒙以养正,圣功也",孩子在童蒙时期,培养其正直的品德是圣人的功业。孔子说"性相近也,习相远也",孩童的教育必须从小抓起。

马大个儿等人欢天喜地地把儿女们送进了邹家私塾,寂静的学舍突然热闹起来。这些孩子有比邹文岳大的,也有比邹文岳小几个月的,过去在家里放养惯了，突然让他们规规矩矩坐在学舍里学习，谈何容易？

老先生顾得了这个顾不了那个，忙得不可开交。想用戒尺惩罚，又怕得罪主子，砸了自己的饭碗。

阮氏桂见此情景，只好放下太太的身份帮着老先生照看其中两个不守规矩的孩子。这两个顽皮的男孩跟邹文岳同岁，一个是海防市珠宝行马世玉的儿子马德宝，一个是李记绸缎铺李掌柜的儿子李希诺。他们在家里娇生惯养，不是打就是闹，还经常欺负几个佣人的孩子，怎么受得了老先生的约束和管教呢？

阮氏桂首先把这两个调皮捣蛋的孩子安排在后排，上课时坐在他们的身边，哪个不听话她就伸手弹他们的脑崩儿。弹了几次之后，两个孩子才算安静下来，课堂秩序也就慢慢走向了正轨。

邹成海对阮氏桂说："夫人，孩子们年龄尚小，正在生长发育阶段。你在协助先生抓好课堂纪律的同时，还要做好两件事：一是每天头晌带领孩子们到花园玩耍一个时辰；二是每天下晌要给孩子们增补一次零食，以保证孩子们的营养。"

阮氏桂点头应下后，邹成海又叮嘱说："对文岳的要求要跟其他孩子一样，不要搞任何特殊，谨记'惯子如杀子'这句话。孩子尚小，不明是非，他提出的合理要求一定满足，提出的不合理要求要坚决制止。打小要让儿子知道什么是对、什么是错。养成好的习惯是孩提时代最为关键的教育。我小时候父母对我的管教是极其严格的！除了叮嘱我好好学习之外，生活方面一点也不放纵。他们要求我坐有坐相、站有站相、吃有吃相……"

阮氏桂听了丈夫的话，微微一笑，说："夫君放心！对文岳的教育我不敢马虎，也一定不会叫你失望。只是……"

邹成海见妻子眼里含着泪花，欲言又止的样子，问："只是什么？"

阮氏桂泪眼汪汪地瞅着邹成海说："夫君，不比不知道，一比吓一跳。在这十几个孩子中，咱家文岳个头最小，身子骨也不够强壮，整天在学舍里学习，我怕把儿子累坏了。"

向着太阳走

　　邹成海听罢,哈哈大笑道:"夫人,不必担心!我小的时候跟儿子一样,也是干巴瘦。不然,老父亲怎么会把我从广东挑到这里来呢?到了九岁,我个子才噌噌地长起来。文岳是我的孩子,当然像我了!"

　　邹成海的一席话,把阮氏桂说得破涕为笑。

4

凭海搏击风雨　　萌发爱国激情

邹成海在生活和学习上对儿子要求甚严,但在感情上却是另一番表现。在越华人中,像邹家这样富贵的人家还有不少,他们对儿女的教育大多仅限于物质生活上的满足,而在感情上与儿女之间却人为设置了诸多障碍。譬如孩子们生下来之后,就脱离了母亲的怀抱,由奶妈或佣人抚养,一年到头母亲都抱不上几次。

邹成海极力反对这样的做法,他对阮氏桂说:"父母是儿女的依靠,失去父爱和母爱的孩子在人格和情感方面,长大之后容易产生严重缺陷。这种缺陷会影响儿女一辈子,弄不好就会葬送孩子们的前程。"

每天晚上睡觉前,邹成海都把儿子放在他与妻子中间,儿子睡着后,还要时不时地抚摸几下。他对妻子说:"我小时候,父亲对我非常严厉,从不给我个笑脸。当时,我还以为自己不是父亲亲生的。后来,母亲对我说,你爸爸非常爱你,每天晚上待你睡着后,都要亲你嘴巴或脸蛋。我当母亲的真是看在眼里,喜在心上。听母亲说过后,我才理解父亲对儿子感情至深。"

邹成海还对儿子讲起自己念私塾时,先生常对学童们说的一番话:孩童物欲未染,知识未开,记忆力强,打小学好"三百千千"——《三字经》《百家姓》《千字文》《千家诗》以及《弟子规》,对每个孩子的一生都有好处。这些传统课本行之千百年,经久不衰,既能帮助孩童陶冶心性,开启心智,知事明理,又能使孩童对父母有孝心,对国家有忠心,对他人有爱心。

向着太阳走

邹文岳经过一年半的私塾熏陶,有了较为扎实的国学功底,对经世致用之学领会颇深。上了小学之后,便在同学中显示出了非凡的才华。他对屈原"路漫漫其修远兮,吾将上下而求索"、诸葛亮"非淡泊无以明志,非宁静无以致远"、李商隐"历览前贤国与家,成由勤俭破由奢"、范仲淹"先天下之忧而忧,后天下之乐而乐"、陆游"位卑未敢忘忧国"等圣贤语录烂熟于心。在与同学的交谈中,他出口成章,总能流淌出一些令人眼前一亮的词句来。

学校每个季度都要搞一次作文比赛,邹文岳的作文立意高远、文采飞扬,常常得奖,在华人学校里崭露头角。他还经常向社会投稿,屡有文章见诸华文报端,这一事迹在华人家长圈广为流播,也委实为邹成海的脸上增添了光彩。

邹文岳因学习优异,十二岁那年连跳两级,并且在跳级之后,学习成绩依然名列前茅。只是他的身体素质依然不如同龄孩子健壮,马德宝和李希诺高过他一头。不过,他俩在学习上与邹文岳相比却有云泥之别。

阮氏桂再次提醒丈夫说:"夫君,文岳在学习上虽然出色,但个头却不如德宝和希诺,是不是学习太累了呀?"

邹成海也发现了这个问题,他心里考量,儿子整天捧着书本看呀写的,这样下去对他的生长发育肯定会有影响。他与妻子商量后,决定让儿子回到原来的班级,免得跳级给孩子带来太大的压力。

邹成海还经常在节假日带着儿子到海滩玩耍,在海里畅游,让儿子在大风大浪中搏击风雨,磨炼意志;与儿子一起朝观日出,夕赏日落,看海浪拍岸,听潮声雷鸣。有时还触景生情,引导儿子背诵诗文,唱和应对,以此提升儿子对国学的兴趣,陶冶他的家国情怀。

父子二人你来我往的吟诵,不但给年少的邹文岳心灵深处留下了斑斓的色彩,也为他的一生打上了温文尔雅、沉稳大气的烙印。

邹文岳记得,有一次他与父亲在海边漫步时下起了雨,父亲仍然牵着他的手闲庭信步,随口吟出"斜风细雨不须归"。邹文岳当即回答出张志和的《渔歌子》之后,一向严肃寡言的邹成海会心一笑,充满关爱地摸摸儿子的后脑勺,以示鼓励。

如遇上狂风暴雨，邹成海也会因势利导，随口吟诵诗句让儿子接龙。有一次他吟出陆游的"黑云塞空万马屯，转盼白雨如倾盆"，当邹文岳对出"狂风疾雷撼乾坤，壮哉涧壑相吐吞"时，邹成海脸上的皱纹立马绽放开来。

对修身、治学方面的诗文，邹成海更是不厌其烦地与儿子一起唱和，还循循善诱地给儿子解读一番。

多年以后，邹文岳曾对他的好友马德宝说："当年，我最怕父亲站在海边眺望故土的方向。每每见到父亲面对着家乡那边沉默不语，我的心里就会不由自主地生出一番苦楚来。"

"念念用之民生，则为吉士；念念用之套数，则为俗吏；念念用之身家，则为贼臣。"邹文岳回忆说，有一次迎着海风，父亲缓缓地对我说出这样几句话，让我回答。当时，我搜肠刮肚想了好一阵子，也没想出相应的警言。此时，我深感自己对经史子集的学习尚有欠缺，只得搬出郑板桥的诗词应对：衙斋卧听萧萧竹，疑是民间疾苦声。些小吾曹州县吏，一枝一叶总关情。父亲听后虽略感欣慰，但依然面露愠色，显然我的回答还没令他满意。父亲用心良苦，为的是让我明白：若想格物致知，必须诚心正意地通读万卷诗书。庄子"吾生也有涯，而知也无涯"、颜真卿"三更灯火五更鸡，正是男儿读书时"、苏轼"旧书不厌百回读，熟读深思子自知"、刘开"非学无以致疑，非问无以广识"等都是父亲根植于他心中的，使他养成了手不释卷的习惯。

在父亲耳提面命的影响下，邹文岳的学业和他步入青春期的身体一样噌噌拔节，见风成长。但邹成海还是心存遗憾，感觉在基础教育方面越南与中国相比还有很大差距。

邹文岳十四岁那年，越南狼烟四起、兵荒马乱，人民遭受日、法帝国主义日益沉重的双重压迫，生活苦不堪言。学校在动荡的社会环境下，教学质量一落千丈。

邹成海感慨时局动荡，思乡之情与日俱增，常常伫立海边，向着祖国的方向扼腕长叹。

  坚守耕读传家的邹成海不想让儿子荒废下去，经过与妻子反复商量，决定把儿子送回国内继续读书深造。他怕儿子孤单，又与海防市珠宝行的马世玉和李记绸缎铺的李掌柜通气，试探他们是否有送儿子回国深造的想法。两位掌柜私下商量，不想让儿子回国，怕路途遥远发生意外。没想到三个热血青年背地里早已商量妥当，无论父母如何劝阻，马德宝和李希诺铁了心与邹文岳一同前行。

  邹文岳在离开父亲时，曾用一首短诗向父母抒发了心中的爱国情怀：百家姓，千家诗，读遍万家灯火；千里行，万卷书，胸装九州风云。

5

赤子归国求学　途中屡遭凶险

1935年初，十五岁的邹文岳与马德宝、李希诺结伴前往家乡广东求学。

临行前，邹海成再三叮嘱儿子邹文岳好好读书，学好本领，回来继承家业，光耀门楣。

母亲阮氏桂担心儿子还小，怕路上出现闪失，执意让丈夫开车送三个孩子一段路程。邹海成也放心不下从未出过远门的儿子，便载着儿子和马德宝、李希诺三人，从海防市出发，一直送到中越边境。

邹海成下了车，叮嘱儿子邹文岳和另外两个孩子说："路途遥远，千万小心，累了就在途中寻个客栈住下，或租辆马车代步。"随后，他又给儿子扔下几十块大洋，让三个孩子在路上共用。

邹海成还说："进了中国国界后，一切要按国内的礼节行事，不可失礼。记住，鼻子下有嘴，千万别走冤枉路。"他一切叮嘱妥当后，才一步三回头地上了车，决然离去。

邹海成走后，邹文岳瞅瞅马德宝和李希诺，发现他俩的眼神忽然生出了从没有过的茫然。他很惊诧：从家里出发时，他俩还有天王老子我都不怕的雄心壮志，没想到父亲刚一离开，他俩的锐气就像被怪物吸走了一样，一切都空荡起来。一向狂傲不羁的马德宝低着头，像霜打的茄子——蔫了。那个平日里少言寡语的李希诺，更是不知所措地搓着手，六神无主。

邹文岳心想，这样不行，前路漫漫，必须让大家振作起来。如果这时候泄了气打退堂鼓，不但成了世人的笑柄，甚至还有性命之忧。想到这儿，他一跺脚说："跟我走！"马德宝和李希诺这才皱着眉头，不得不跟着邹文岳朝前走去。

邹文岳没想到回国求学的路会这样艰难，一路跋山涉水，羊肠小道荆棘丛生，根本分辨不出路的模样。大山里，古木遮日，毒蛇绊脚，还时不时传来野兽嚎叫的声音，令人毛骨悚然，脊背发凉。还没走进大山深处，李希诺的脚脖子就被毒蛇咬伤。因为精神过度紧张，当时还没觉得疼痛，直到走路感到腿脚胀痛时才发现遭到了毒蛇攻击。

瞅着肿胀变紫的小腿，李希诺精神上已被彻底摧垮。别说爬山了，就连走路都两腿打飘，没有了气力。

邹文岳怕他坚持不住，与马德宝商量后，决定背着他前行。好在马德宝人高马大，他把行囊扔给邹文岳，背起李希诺几步就冲到了前面。

俗话说，远道无轻载。还没走出一里路，马德宝就上气不接下气地大喘起来。邹文岳背着马德宝和李希诺的行囊，也累得呼哧带喘，双腿拌起蒜来。他觉得这样下去坚持不到天黑，三个人就会全部缴械。这时他发现李希诺的小腿已经肿到了膝盖处，如果不在天黑之前走出大山，就会有生命之虞。一旦发生意外，又如何向他的父母交代？

邹文岳想到这儿，对马德宝说："德宝，你把希诺交给我，咱俩轮换着背，必须在天黑前走出大山。"

此时，马德宝已经累得说不出话来，他连忙把李希诺交给了邹文岳。邹文岳背起李希诺刚走了十几步，回头对马德宝说："德宝，你撅个木棍，在前面一边探路，一边赶蛇，我俩不能再受伤了。"

马德宝从树上撅下一根长长的树枝，跑到邹文岳前面，走一步扫一下，走一步扫一下。两个人深一脚、浅一脚地总算把李希诺背下了山。走到山下的河边，先喝了一肚子河水，又吃了几口身上带的馒头，只见日头已经偏西。邹文岳撸起李希诺的裤腿，发现他膝盖上一拃处已经肿得乌黑发亮，人也处于昏迷状态。他给马德宝递个眼神，又背起李希诺朝前跑去。

两人轮流背着李希诺，顺着河流跌跌撞撞地走了十几里，终于发现前方有一处茅草房。邹文岳和马德宝像是在风雨飘摇的大海里遇见了灯塔，高兴得眼泪都快流下来了。邹文岳背着李希诺三步并作两步地朝草房跑去。

所谓的茅草房，只有一门一窗，邹文岳上前敲敲门，片刻走出一位童颜鹤发的白胡子老人。

邹文岳抱拳当头，跟老人说明了来意。老人上前看了李希诺的腿，又翻开他的眼皮，见他已经处于深度昏迷状态。老人不由得一惊，说：“快背进屋里！”

邹文岳向老人点点头，背着李希若走进屋里。

屋子不大，只有一张能睡下一人的床铺。不用多问，这间小屋除了这位老人再无他人。

邹文岳扶着李希诺坐在一条磨得发亮的圆木板凳上，老人冲他努努嘴，示意让李希诺躺在床上。

随后，老人从一个黑木箱子里拿出一个牛皮纸包，把纸包里的药面倒进碗里，又倒上两盅白酒、少许黄酒和清水，搅拌成糊状后，自上而下地涂在了李希诺的大腿、小腿和脚脖子上。

老人给李希诺抹完药，缓缓地直起身子，对邹文岳说：“这小子命大，如果再晚一个时辰，蛇毒攻入心脏，他这条小命就扔在路上了。”老人说着，扒下李希诺的裤子，指着肿起的小肚子说：“看，毒素已经走到肚脐以上了，如果走到肝和心脏，人就没救了。”老人又说：“这种被毒蛇咬伤的人，我已救活了百八十人，如果没有缘分，只有一死。”

邹文岳向老人拱手抱拳说：“先辈，涂上药很快就能好吗？”

老人摇摇头说：“半个时辰后，还要熬碗解毒汤，让他喝下去，睡上一宿，明儿早上再涂上一遍药，喝碗药汤，蛇毒就慢慢排出去了。”

马德宝直言快语地问：“大爷，蛇毒排出去后就可以赶路了吗？”

老人瞅他一眼说：“是药三分毒，蛇毒排出去后，还得在床上静养三天，体力才能慢慢恢复，七天后才能恢复到正常。”

马德宝正要开口说话时，邹文岳拽拽他的衣襟，马德宝才把到了嘴边的话咽了回去。

邹文岳说："不急，一切听前辈吩咐便是。"

老人从房梁上拿下一个竹篓，一边从篓里挑选药材一边说："出门在外，世事无常，一切听从老天安排，急是急不得的。"

老人从竹篓里选了十几种树皮、树根、蛇皮、干草样的药材，放进一个砂锅里。又走到外屋，从瓦罐里倒了些许凉水，把砂锅放在院子外的三块石头上，续柴点火开始熬药。

李希诺的命总算保住了，邹文岳那一颗悬着的心也终于落了地。他蹲在砂锅前，一边帮大爷续柴，一边跟大爷聊天。

大爷说他已经七十七岁了，小时候家境贫穷，十五岁那年被土匪抓去当了崽子兵，跟大当家的一起打家劫舍十几年，因忍受不了图财害命的血腥，便在夜里跑回家里。得知父母已经去世多年，悲痛之余，又怕被大当家的抓回去杀了，无奈之下才跑进深山，过上了清心寡欲的安稳日子。

老人笑笑说："还好，几十年过去了，整天与大山为伴，与河流同欢，没人欺负我，我也不欺负别人。高兴时就嚎几嗓子解解闷儿，不高兴时，就拎着火铳子到山里打只兔子或黄羊，半个月都不用出屋，饱了睡，饿了吃，早晚再练练刀、枪、棍、棒武当功，日子就这么一日日打发走了。"

马德宝问："大爷，您一个人住在山上，不害怕吗？"

老人笑笑说："害怕？怕什么？最可怕的是杀人越货，欺小凌弱。除此之外，还有什么可怕的？"

邹文岳瞅瞅老人，赞许地点点头说："前辈，进山之后，一直没出过山吗？"

老人说："一年半载的下山一趟，卖点皮货，再换点衣物和油盐回来，一瓶灯油点一年，十斤咸盐也能吃上一年。至于衣裳，几年也添置不了一件。在这大山里，一年也难见到一个人影儿，即使光腚也不怕人家看见。只是不穿衣裤受不了蚊虫叮咬……"

药熬好后，老人撬开李希诺的嘴巴，用木勺喂下。过了一个时辰，李希诺才慢慢睁开眼睛，恢复了意识。

老人对邹文岳说："去盛碗清水，让他喝下，我去给你们烀肉。"

老人说着，走到院子里，掀开一块石板，从井里提出一只竹篓，从竹篓里拿出半只黄羊，手脚麻利地剁成碎块，放入铁锅里后，又加了两把咸盐和从大山里采来的作料，点着火。不一会儿，一股浓浓的香气便弥满了屋里院外。

老人从屋里拿出一个酒坛子和三只黑瓷碗，笑呵呵地说："这是老朽自酿的山葡萄和枸杞子酒，请二位品尝一下。"

邹文岳拱手抱拳说："前辈，我们尚不沾酒，还是您老自己享用吧。"

老人笑笑说："来了便是客，既然来到我这里，会不会喝酒自然要品尝一口，才算老朽招待了客人。不然，老朽心有不安呀！"

在茅草房里，与老人共度了七天八夜，李希诺的身体才恢复了正常状态。邹文岳和马德宝准备第二天一早起程时，李希诺突然跪在老人面前，拱手叩头说："老爷爷救了我一命，我要留在这里陪伴爷爷度过晚年，待爷爷百年之后，我再去寻找你们，可否？"

突如其来的变故，把邹文岳和马德宝弄得不知如何是好，只能瞅着老人，听他老人家如何定夺此事。

老人也不糊涂，把李希诺从地上拽起来，说："孩子，老朽岂敢误你的前程！心意我可以收下，但回乡求学之事堪比天大，你们三人结伴而来，定要结伴而去，不可生出其他想法。否则，老朽何以安心啊！"

马德宝忍不住说："是啊！这么些年，老爷爷救人无数，如果都想留在爷爷身边，早已打乱了爷爷的平静生活，这个'孝'字恐怕就有两说了。"

邹文岳也说："希诺，你有这份孝心固然可嘉。不过，前辈之言更是发自肺腑，你还是收回承诺，遵从前辈之命吧。"

老人笑笑说："邹公子所言极是！你们三人正值青春年华，学习乃头等大事，不可荒废。李公子有此善心，老朽心领了便是，明早还是早早起程吧！"

李希诺拱手抱拳道:"爷爷之命,晚辈不敢违拗,如有来日,晚辈定当报答救命之恩,请爷爷受我一拜!"

说罢,李希诺双膝跪地,又给老人磕了三个响头。

三人睡了一宿起床,吃罢早饭,背起行囊准备上路时,老人从后院拿来三个由松油绑就的火把和半盒洋火,对邹文岳说:"把这个带上,路上若是遇到豺狼虎豹等猛兽,点着它方可逢凶化吉。"

三人鞠躬谢过,正欲跟老人告别时,老人转身关上屋门说:"老朽闲来无事,送你们一程也罢。"

邹文岳再三推辞,也没挡住老人前行的脚步。老人健步如飞,爬山跃坎,腿脚比三个年轻人还溜道。老人说:"我在大山里跑了一辈子,已是轻车熟路,哪里会怕山路凶险?"

老人在前面引路,三人在后面紧追,到了日当正午,老人才停下脚步,说:"老朽送到这里为止,你们仨翻过这座山,就能看到住家。再走三百多里,便是昆明境内,到达垠东码头还有千八百里路程。路途迢递,且要多加小心。"

邹文岳听老人如此这般交代,给马德宝和李希诺递个眼神,三人单膝跪地,拜谢过老人,这才转身上路。

一路走去,可谓险象环生,若不是老人事先指点,恐怕有去无回也。

6

饿狼毒蜂挡道　　幸蒙同胞相救

以邹文岳为首的三位富少，按照老人的指点和途中的注意事项，一路走去。虽说遇到过饿狼挡道，蟒蛇追撵，还算是顺风顺水，走了二十多天，总算离春城昆明越来越近了。听途中的老乡说，再有一百七十多里路程，就能到达南宁垠东码头。

他们终于看到了希望。经过两个多月的长途跋涉，不但心理素质得到了锤炼，身体素质也得到了空前提高。余下的一百七十多里路程，在三位看来已经是小菜一碟儿，用不上三天光景就能到达目的地。一想到踏上祖国的土地，三个人自然生出几分喜悦和激动。

三个人似乎忘记了疲劳，忘记了饥饿，只顾大步流星地往前走。邹文岳说："路是走到尽头的，不是盼到尽头、想到尽头的。"

马德宝人高马大，又有敢于担当的气概，他提出在前面开路，邹文岳殿后，李希诺在中间。三个人早晨天蒙蒙亮开始上路，一直走到晚上见星星。晌午一边走一边啃口干粮，晚上遇到人家就借个宿睡上一夜，遇不到人家就睡山洞或寻个相对安全的地方。三人轮流站岗，为的是提防野兽攻击。

一天晚上，马德宝和李希诺刚躺下迷糊着，正负责警戒的邹文岳忽然听到树林里传来"沙沙"的声响，那动静就像几十人在老林子里追撵什么东西，好不吓人。邹文岳马上挺起身子，对马德宝和李希诺说："快起来，有动静。"

这时，只听一只公狼震天动地地吼叫了两声。之前，老人曾对他们说，路

向着太阳走

上若是听到饿狼嚎叫,那是领头的公狼在召唤它的狼子狼孙,有了食物供它们分享,要迅速向它集中。遇见这种情况,千万不要乱跑,要迅速点着火把,不管多少饿狼,见到明火就不敢靠近你们的身前。相持一会儿,饿狼会不攻而退。老人说,山里人有一句保全自身的顺口溜:"狼怕火把,狗怕蹲。"意思是说,狼一见到火光,生怕烧到自己的皮毛而丧命;恶狗见人蹲下,以为你在捡石头打它,掉头就跑。这就叫卤水点豆腐,一物降一物。

就在群狼把他们仨包围在中间时,邹文岳举起火把怼了李希诺一把说:"还愣着干啥,快点火!"

已被群狼吓蒙的李希诺这才反应过来,颤抖着手从兜里掏出火柴,划了两下也没划着火。马德宝急了,从李希诺手里夺过火柴,划了两下也没划着,没想到他的手也像筛糠似的颤抖起来。

这时,公狼又嚎了一声,这是它在向群狼发出进攻的口令。几十只狼瞪着绿莹莹的眼睛,由远而近地向他们袭来。

情急之下,邹文岳疯狂地吼道:"快把火柴给我!"

马德宝急忙把火柴递给了邹文岳。

邹文岳接过火柴,"唰唰"划了两下,好不容易把火划着,马德宝和李希诺又忘记了递火把。幸好邹文岳把火把夹在了胳肢窝下,火把见到明火,"腾"地一声燃起来,并且滋啦滋啦地迸发出无数火星。

此时的马德宝已经吓得失掉了魂,见到邹文岳手里的火把,才想起自己手里的火把,伸手想点燃时,邹文岳闪开他的火把说:"节省火把,你俩站在我左右!"

群狼见到火把,往后退了几步。邹文岳抡起火把在原地转了几圈,群狼才掉头跑去。

赶走了群狼,三个人已经没有了丁点的疲惫和睡意,有的只是浑身的汗水和后怕。特别是马德宝和李希诺,一直在为自己没能在关键时刻发挥应有的作用而惭愧。马德宝冲着邹文岳抱拳说:"若不是邹兄急中生智,我们仨已经葬身狼腹了。"

李希诺怯怯道："人家说女人上不了阵，实践证明，男人也不一定个个都是英雄好汉。像我这样的，真上了阵打仗，照样屁滚尿流。"

邹文岳给他俩打气，一扬手说："休要胡说！倘若没有你俩在我身边壮胆，靠我一个人又如何行得？俗话说，三人合心，其力断筋。咱们之所以保住了性命，正是我们齐心协力的结果。"

邹文岳举着火把，走了整整一夜，终于走进一个只有十几户人家的小村庄。东方已经吐白，邹文岳看到村中有盘石磨，三人便倚在磨盘一角坐了下来。还没坐上一会儿，便进入了梦乡。

日头升到一竿子时，一位少数民族打扮的老妈妈端着苞谷到磨盘前碾米，突然发现三个衣衫不整、蓬头垢面的后生在磨盘旁睡觉，吓得她转身跑回家里。不一会儿，朝磨盘跑来十几个村民，大家见邹文岳三人睡得正香，也没忍心叫醒他们，一直让他们睡到自然醒来才上前询问。

因为语言不通，双方沟通起来障碍重重。邹文岳只好拿出纸笔，写了他们的来龙去脉。可惜，在场的人看不懂文字，又去村里请来一位在山外教过几年私塾的先生，给村民们翻译了一遍，大家才明白了邹文岳三人来自何处，又欲去往哪里。

热心的老妈妈给他们送来了热乎乎的饭菜，三人饱餐一顿后，拜谢了老妈妈和村里人，又向那位私塾先生询问了行动路线，便匆匆上路了。

这个偏僻小村距垠东码头只有八十里路程，如果顺利的话，天黑之前就能到达码头。想起近在咫尺的码头，三人情绪立马高涨起来。马德宝挥舞着手里的木棍，一边走一边唱，邹文岳和李希诺在后面紧追，还是被他甩在了后面。走到正午时，李希诺叫马德宝停下来喝口水，歇歇脚，吃点干粮。

马德宝的两腿就像装上了弹簧，不到码头停不下来。邹文岳和李希诺只好在后面紧追。又走了二十多里山路，只听走在前面的马德宝"妈呀！"一声蹲在了地上。

邹文岳和李希诺不知何故，急忙跑上前去。马德宝捂着脸向他们喊道："别过来，我碰到马蜂窝了！"

邹文岳见马德宝捂着脑袋蹲在地上不起来，知道被马蜂蜇了，急忙对李希诺说："德宝肯定被马蜂蜇了脸，快帮我把火把点着！"

李希诺急忙掏出火柴点着火把。邹文岳说："把你的火把也点着，在头顶上摇着走，马蜂就不会靠近我们了。"说着迅速朝前走去。走到距马德宝十来米时，火把上面像炒豆子似的噼里啪啦地响起来，这是马蜂被火烧爆时发出的动静。

邹文岳快步走到马德宝跟前，见他头上和手上落了一层硕大的马蜂。他把火把在马德宝的头上旋了几圈，马蜂才渐渐飞走。邹文岳叮嘱李希诺说，快把火把旋起来，别让马蜂落在我们头上。

这时，马德宝的脸已经肿得像发面馒头。邹文岳搀扶着他快步向前面跑去。大约跑了一里多路，马德宝的眼皮已经肿得看不见前路。邹文岳只好扶着他停下来，说："德宝，让我看看蜇在什么地方，把蜂毒给你挤出来。"

马德宝说："不行，蜂毒已经扩散，脑袋已经麻木了。抓紧赶路，看前面有没有村庄，村民应该有解蜂毒的办法。如果没有村庄，我这条命就被马蜂葬送在路上了。"

邹文岳带着哭腔说："德宝，不要说丧气的话。希诺，我俩架着德宝，快走！"

两人一左一右，架着马德宝的胳膊朝前跑去。

还好，涉过一条没膝深的河流，又拐过一个山头，便闯进了一个村寨。邹文岳发现了一个中年人，便跑上前去说明了来意。中年人马上把他们带进村子中间的一户人家，一位叫德档的老人看了马德宝的伤势后，把他们让进屋里，转身从坛子里拿出一包金黄色的药面，用凉水搅拌成糊状后，往马德宝脸上抹了厚厚的一层，惨不忍睹。

德档老人说："不要小瞧了马蜂！若不及时糊药清毒，照样会死人的。好在被蜇后没超过三个时辰，若是超过了三个时辰，我也爱莫能助了。"

中年人对邹文岳说:"这副药由十几种药材配制而成,其中有三种药是从昆明买来的,你们是要付点药资和路费的。"

邹文岳拱手抱拳说:"请放心!只要治好了同伴的眼睛,药资是一文不会少的。"

德档老人笑笑说:"途中遇难,老朽本不该收取药资的。只是到我寒舍求药之人尚多,老朽实在难以应酬,若是方便,就给几文,不方便就罢了。"

邹文岳抱拳对德档说:"前辈,休要客气!我们途中走了三月有余,手上虽不宽裕,药资还是付得起的,前辈照数说来便是。"

中年人走上前,快言快语地说:"这位小哥,多了不要,拿半块大洋便可。"

邹文岳从兜里掏出两块大洋,放在老人手心里说:"请前辈笑纳!除了药资,还望前辈容我们三人住上一宿,不知可否?"

德档老人说:"若不嫌弃,什么一宿两宿,尽管住着便是。"

马德宝躺在床上说:"前辈,我这个样子,明天能赶路吗?"

德档老人说:"马蜂蜇了你七处,如果把蜂毒全部排出,至少得三五日。你即使着急赶路,也要待三天看看咋样再论。"

邹文岳上前安慰马德宝说:"德宝,既来之,则安之,治病要紧!趁你排蜂毒的时日,我跟希诺也好歇歇脚,真是太累了!"

马德宝没再吱声,眼角处却滚出一串懊悔的泪珠。

李希诺瞅着马德宝,心说:你若不在路上手舞足蹈地穷嘚瑟,让木棍捅到马蜂窝上,哪能招来如此横祸?这就叫乐极生悲!

邹文岳见李希诺脸色怪异,端来一碗清水递给他说:"德档老人叮嘱说,叫德宝多喝凉水,你负责给德宝喂水吧。"

李希诺接过水,给邹文岳使个鬼脸,开始给马德宝喂水。

7

绽放青春之旅　投入祖国怀抱

在德档老人家里住了三天两夜，马德宝脸上的蜂毒基本消退，只有眼角和嘴巴还略有余肿未消。马德宝执意赶路，无奈之下德档老人只好又从竹篓里拿出两包药面，让他上路前先服下一包，第二日早晨再服下一包，说这样脸上的毒素即会全部消除。

马德宝感激不尽，又从兜里掏出一块大洋答谢德档老人后，三人才匆匆上路。

还没到晌午，他们就连跑带颠地赶到了码头，恰好遇上一艘渡轮。经打听，得知渡轮是去往佛山的，中间经停玉林、云浮、肇庆等地。

三人急忙买了船票。当他们上船时，忽然产生了一种想放声大哭的感觉。邹文岳感叹：没有经过这番磨难的人，是很难体会到这番归属感和幸福感的！惊魂甫定的他们瞬时滋生了一种回到家的感觉，见山山亲，遇水水亲。那些同船的人，虽说穿着破旧衣衫，他们仨却依然感到亲切，如同遇到了从未谋面的亲人。

邹文岳在船上结识了一位广东老乡，姓杜名德俊，五十岁左右的年纪。此人原是广东城里做洋油生意的大老板，因时局动荡，国人反对洋货的势头日益高涨，遂改行做棉麻生意。杜老板很是谦和朴素，从外表上根本看不出他是一位腰缠万贯的富豪。一路上，他向邹文岳、马德宝和李希诺介绍了广东和国内的形势。

杜德俊说："1931年9月18日，日本驻中国东北地区的关东军突然袭击沈阳，这是一起以武力侵占东北的事件，也是日本'征服世界必先征服中国，征服中国必先征服满蒙'战略方针的实施。1931年7月和8月，日本关东军在东北制造了'万宝山事件'和'中村事件'，9月18日又制造'柳条湖事件'，发动了侵略中国东北的战争。"

邹文岳拱手说："前辈，日本发动的侵华战争我们在越南略有耳闻，但知之甚少，前辈能否详细介绍一下？"

杜德俊抬起头，向四周撒目一圈，才低下头小声说："小心探子听声！这里特务很多，有国民党的，也有日本的，千万小心。"

邹文岳三人还没听杜德俊说完，马上紧张起来，急忙凑到了杜德俊的身边。

杜德俊细细陈说：1931年9月18日晚上10时许，日本关东军在沈阳北大营南约800米的柳条湖附近，将南满铁路一段路轨炸毁。日军在此布置了一个假现场，摆了三具身穿中国士兵服的尸体，反诬是中国军队破坏铁路，随即向中国东北军驻地北大营发动进攻。次日晨5时半，东北军退到沈阳东山嘴子，日军占领了北大营。这就是震惊中外的九一八事变。

杜德俊又说，令国人寒心的是，事变发生前，国民党最高领导人蒋介石致电东北军总司令张学良："无论日本军队此后如何在东北寻衅，我方应力避冲突。"事变发生后，国民党政府又电告东北军："日军此举不过是平常寻衅性质，为避免事件扩大起见，绝对不准抵抗。"当时，日本关东军只有1万多人，而中国东北军驻在东北的有16万人。东北军多次接到不准抵抗的训令，在日军突然袭击面前，除小部分违反命令奋起抵抗外，其余均不战而退。

9月19日上午8时，日军几乎未受到抵抗便占领沈阳全城。东北军撤向锦州。全国最大的沈阳兵工厂和制炮厂连同9.5万余支步枪、2500挺机关枪、650余门大炮、2300余门迫击炮，260余架飞机，以及大批弹药、器械、物资等，全部落入日军之手。此后，东北各地的中国军队继续执行蒋介石的不抵抗政策，使日军得以迅速占领辽宁、吉林、黑龙江三省。此后，在中国共产党的号召下，

向着太阳走

中国人民迅速掀起了抗日救亡运动。

邹文岳三人听过杜德俊的介绍后,才知道清朝灭亡之后,继起的中华民国军阀混战不休,近年又有国民党和共产党的斗争。三人对国民党首领蒋介石的不抵抗政策恨得咬牙切齿,对共产党发起的抗日救亡运动由衷地赞赏和向往。

杜德俊察觉到三位年青人满满的求知欲,十分欣喜,遂说:"你们回广东求学想去哪所学校,是否有熟人引见?"

邹文岳抱拳说:"不瞒前辈,我与二位同学回国两眼一抹黑,并无他人引见,到了广东还不知如何落脚……"

还没等邹文岳把话说完,杜德俊便哈哈大笑道:"无人引见,又如何进得校门?如此说来,我把你们引见到广东省立勷勤大学如何?我与勷勤大学的教务长林砺儒先生相识多年……"

杜德俊的话还没说完,邹文岳连连摇头说:"前辈,真是可惜!晚辈刚刚考完高中,还没开学越南就发生了战乱,家父怕误了我们的学业,才让我们回国求学。大学的校门岂是我们能迈入的!"

杜德俊笑笑说:"没关系!勷勤大学还附设高中和附小,有文史系、地博系和数理化等课程,你们想读高中或附小,皆为易事。"

邹文岳瞅瞅马德宝和李希诺说:"二位同学,我们接着读高中如何?"

马德宝点头说:"仰赖前辈引荐,那就接着读高中吧!"

李希诺也附和说:"是啊,还是读高中吧!"

三人谢过杜德俊,渡船已经到达佛山码头。佛山,是邹文岳打小向往的地方。自打邹文岳记事起,父亲邹海成就经常跟他讲佛山的人文山水,譬如佛山祖庙的设计如何巧妙,技艺如何精湛,等等。

邹海成曾对儿子邹文岳说,佛山是粤剧之乡,戏班若有新戏上演,首演必选万福台。万福台是广东最好的古戏台。还有佛山的灵应牌坊,高达11.4米,以12根粗大的木柱支承。佛山的孔庙更是别具一格,大殿占地300多平方米。屋顶为单檐歇山式顶,左右两壁之上,镶嵌《孔子庙堂碑》,碑文为唐代虞世南所书。还有简照南别墅。简照南是佛山著名的爱国侨商，他创办了"南洋烟草公司"，成为我国近代出类拔萃的华侨实业家。他的别墅有门楼、主楼、后楼、西楼和储物楼等，占地3400多平方米，是佛山市内最为上眼的别墅群。

这些名胜古迹，不知在邹文岳脑海里过了多少遍，向往了多少回。这下，终于来到了仰慕已久的佛山圣地。邹文岳站在码头上眺望佛山的山光水色，已经忘记了一路的疲劳和饥饿。

李希诺上前催促他说："文岳，快走吧！杜叔请我们下馆子呢！"

邹文岳这才回过神来，快步走向杜德俊和马德宝。

杜德俊带着邹文岳三人出了码头，来到一家名叫"好再来"的酒馆，点了六个炒菜，要了一壶热酒，因三位小青年不胜酒力，便自酌自饮起来。

杜德俊呷了口酒，说："三位慢慢吃，不必着急！吃饱喝足后，我们找个客栈住下，明天头晌，我带你们到佛山的名胜古迹转一转，让你领略一下佛山大好景色。后天，我带你们去勤勤大学见林砺儒教务长。"

邹文岳抱拳说："前辈如此热情，晚辈不胜感激！这顿饭我埋单，算是我们仨对前辈的答谢。"

杜德俊笑笑说："休要客气！你们虽是富家后生，不会在乎一顿饭钱，不过也得给我个做东的机会！毕竟我是你们长辈嘛！"

四人边吃边聊，好不开心。

8

迈进勷勤校门　幸得恩师眷顾

一个阳光明媚的早晨，杜德俊带着邹文岳三人来到林砺儒教务长办公室。林砺儒听完杜德俊的介绍，笑容可掬地指着对面的椅子，对邹文岳三人说："请三位坐下，欢迎你们到我校求学！我先简单介绍一下学校情况，以便三位择优选学校。"

林砺儒说，勷勤大学是1932年由广州国民党当局筹建的。1933年将省立工业专门学校改组为勷勤工学院，同时将广州市立师范扩设为勷勤师范学院（也称教育学院）。1934年，勷勤商学院成立，三院合称为广东省立勷勤大学。商学院下设经济、会计、银行系，为广东最先之商科。院长李泰初毕业于美国哥伦比亚大学，经济学博士，兼任广州市立银行行长。

林砺儒又说："我与杜掌柜相识多年，他把你们三位引荐到勷勤大学来，当是我校之荣幸！学校会给你们提供最好的教学环境。你们考虑一下，选择哪个系更适合你们将来的发展。"

邹文岳与马德宝和李希诺商量后，马德宝和李希诺觉得学习会计回家后对发展自己的家业用得上，他俩决定报会计系。而邹文岳觉得银行系有发展前景，因为院长李泰初不仅是毕业于美国哥伦比亚大学的经济学博士，又是广州市立银行行长，他对世界金融业的发展具有前瞻性的认识，所以邹文岳报了银行系。

三个人的专业不同，但都生活在一个学区，课余时间还能见上一面，聊聊各自的专业和学习情况。有一次，邹文岳说："通过学习，我越发认识到了银行业在商贸发展中的作用和地位。在不久的将来，银行业将成为商业交流的集散地和商务中心。大宗现金可从银行流转，将省却携带现金的麻烦。"

马德宝和李希诺也觉得国内的大学要比越南的大学正规些。校内提倡思想自由、学术研究自由，还经常聘请进步教授到学校讲课，邀请进步人士邹韬奋等到学校作形势报告。在课程设置方面，还有新哲学、经济学、现代经济学说史、世界革命史等，向学生宣传新思想。这是一方造就热血青年的大熔炉。

邹文岳为全面了解中国，还购买了好多进步书刊供学友们阅读。国民党当局曾指责大学开设新哲学、国际政治等课程，林砺儒与国民党官员据理力争，依然保留了原有的科系课程。

校园里的所学所见所闻，使邹文岳的少年之心旋即踏上了青春之旅。他由一个充满抱负的少年，加入了壮怀激烈的青年知识分子行列。此时的邹文岳眼界和视野已经完全跳出了越南的海防市和家族的窑业，心里装满了黄河、长江和长城……

老父亲邹海成的拳拳报国之心，也因中国频频遭遇外来侵略和天灾人祸而迸发出来。他组织当地的华商总会，积极为抗战救灾慷慨解囊，向祖国同胞频频伸出援助之手，令国人钦佩和感动。

邹文岳儿时埋下的爱国火种，已经在胸膛里燃烧起来了。他觉得自己的家国情怀与革命党人"天下为公"的热血已融合起来。

课余饭后，邹文岳经常独自躲在一个角落里，如饥似渴地阅读、充实自己。在图书室里，他打开了中国近代以来半个多世纪的历史，看到了帝国主义的凶残、封建朝廷的无能、军阀割据的混乱和民国政府的腐败。强烈的民族责任感，激励着一个奋发有为的青年饱含热情阅读时政杂志。邹文岳特别喜欢阅读梁启超的《新民丛报》，以及邹韬奋创办的《大众生活》周刊。这些杂志刊载的一系列主张振聋发聩，他在越南闻所未闻。特别是邹韬奋的《大众生活》周刊，对邹文岳接触进步思想起到了重大的启蒙作用。

邹韬奋是近代中国面临生死存亡的关键时刻涌现出的一位著名教育家、出版家。特别是国民党政府对日本侵略者一路妥协、忍让，使得邹韬奋不顾个人安危，一路高举抗日大旗，以救国救民为己任，以犀利之笔坚守舆论阵地，抨击黑暗势力。

九一八事变发生后，民族危机空前严重，充满一腔爱国热情的邹韬奋按捺不住心中的愤懑，接连在《生活》杂志上发表文章，痛陈国弊，号召人民组织起来共同奋斗。他积极支持全国各地的爱国运动，并为爱国志士筹集资金奔走呼喊。

邹韬奋创办的《生活》和《大众生活》周刊，已成为"风行海内外，深入穷乡僻壤的有着很大影响的刊物"。作为同姓本家，邹文岳自然成了邹韬奋的铁杆粉丝。他订阅的每期周刊篇篇必读，还自费为同学们征订了十二本传阅。从刊物里的泣血呼吁、荡气回肠的字里行间，邹文岳读出了情怀，读出了精神，读出了方向，看到了前进的道路，也彻底摒弃了"书中自有黄金屋""书中自有颜如玉"的个人名利思想，并逐渐放下了继承家业光宗耀祖的求学目标，开启了身在书斋、心系天下，为救亡图强、改造社会奉献一切的壮丽人生。

邹文岳曾在日记本上写下这样的文字：人无志，就如同无舵之舟、无衔之马。我的一生如果没有社会理想的鼓舞，就会变得空虚而渺小。

邹文岳经常对马德宝和李希诺说起明末清初的思想家、教育家、颜李学派创始人颜元的话："志不真则心不热，心不热则功不紧。"清代学者金缨有言："志之所趋，无远弗届；穷山距海，不能限也。志之所向，无坚不入；锐兵精甲，不能御也。"邹文岳对马德宝说："我们是新时代的热血青年，在民族存亡之际，务须谨记孙中山先生的教导'青年人要立志做大事，不要立志做大官'。"

1935年底，中国爆发了现代史上著名的一二九运动。在中国共产党的领导和号召下，由北平爱国学生首倡，迅速掀起了席卷全国的抗日救亡怒潮。天津、上海、南京、广州、武汉、杭州、济南、太原、长沙、重庆等十几个城市的爱国学生纷纷请愿集会、示威游行，发表宣言、通电，声援北平学生的爱国行动。

邹文岳积极参与到学生运动中来。他不顾军警的严厉镇压，动员了十几位从越南回国求学的同学，与学校的其他青年学子们一起走上街头，积极声援这场如火如荼的抗日救亡运动。与此同时，邹文岳还拿起手中的笔，积极向国内外进步书刊撰写文稿，痛斥国民党当局的卖国行径，大力宣传一二九学生爱国救亡运动的真相，并积极宣传邹韬奋先生的抗日救亡思想："不参加救亡运动则已，既参加救亡运动，必尽力站在最前线，个人生死早置度外""学生救亡运动是大众的急先锋，民族解放前途的曙光"。

面壁十年图破壁，难酬蹈海亦英雄。参与一二九爱国救亡运动，是邹文岳第一次走出书斋开始投身于社会实践的洗礼。由此，邹文岳开始接触中国共产党的主张。在了解中国共产党的基本思想后，他萌发了对红色信仰的向往。

他从报刊上得知，北京、上海、广州等地已经成为青年先进分子的集聚地，进步文化团体星罗棋布。一些红色书店应运而生，成为红色思想的传播阵地，在广大民众中间产生了积极而广泛的影响。当时大名鼎鼎的商务印书馆和中华书局成为进步文化运动的重要阵地。

这期间，邹文岳如饥似渴地阅读了《共产党宣言》《反帝国主义运动》《世界劳工运动史》《中国青年》等书刊。最让他难忘的是毛泽东的《星星之火，可以燎原》等文章。在那段时间里，有关南昌起义、秋收起义、井冈山革命根据地、苏区反"围剿"斗争、红军万里长征等故事，已耳熟能详。他知道毛泽东领导了秋收起义，并和朱德等共产党人创建了红军，建立起中国共产党第一块革命根据地——井冈山革命根据地；领导红军取得了中央苏区三次反"围剿"斗争的胜利；在第五次反"围剿"斗争失利后，更是毛泽东在绝境中领导中央红军经历了两万五千里长征，转战到陕北革命根据地，保留了革命火种。

从小植根于血液里的爱国情怀，已在沸腾的大学校园里孕育成抗日救亡的种子，一经破土就会茁壮成长。

1936年底，邹文岳接到从越南发来的"母亲病重，望儿速归"的电报。他急忙拜别了恩师林砺儒和恩人杜德俊，结束了心爱的学业，与马德宝和李希诺匆匆返回了越南海防市。

9

归家心不在焉　抗日之志弥坚

经过两个多月的长途跋涉,归心似箭的邹文岳终于回到了母亲身边。母亲确实病得不轻,瘦得几乎皮包骨头,也没有了一年前的精气神儿。可是,一见到儿子回来,立马来了精神,从床上吃力地坐起来,拉着儿子的手未语先哭,说:"儿子,你总算回来了,妈妈还以为今世见不到你了呢!"

母子俩抱头痛哭,在场的邹海成也忍不住泪如泉涌。

回到越南海防市的邹文岳,被父母视作宝贝疙瘩。一向严肃的父亲一反常态,对儿子的日常生活关爱有加,先是把儿子打扮得西装革履、洋里洋气,还手把手地教儿子学开汽车。

邹海成对儿子说:"文岳,以前爸爸对你要求很严,限制了你的个性发展。现在你已经是成年人了,爸爸不会像以前那样约束你的行为了。凡是你喜欢的东西,该买就买。特别是衣物鞋帽,喜欢就买。穿戴要时尚一些,要尽快学会开车,以便日后出去谈生意时,不被人家小瞧了咱们。"

母亲阮氏桂也在一边附和说:"儿子,你爸爸年纪大了,这份家业就靠你来支撑了,出门在外,不要土里土气的。如果不出意外,这份家业足够你铺排一辈子了。"

邹文岳瞅瞅母亲,一本正经地说:"如果出现了意外呢?"

阮氏桂说:"咱邹家老小积德行善,有老天眷顾,怎么会出现意外呢?老话说得好,积善之家有余庆嘛!"

邹文岳苦笑道:"妈,国内炮火连天,许多村子被日本人杀得片甲不留,别说家业了,连性命都保不住了。"

阮氏桂说:"所以说,妈妈怕你在国内出现意外,才央求你爸爸把你叫回来……"

邹文岳听到这番话,瞪大眼睛瞅着母亲,突然明白了父母叫他迅速回越南的真实意图,心里不免生出一丝悲凉和愤懑。

自从那天起,邹文岳不顾经营上的事务,义无反顾地参加了抗日侨联,每天活跃在华人圈里,利用一切机会和平台积极向侨居越南的同胞宣传祖国抗日救亡的真相和主张,并发起了形式多样的募捐活动,支持国内抗战。

在一次募捐活动中,邹文岳发现华人会馆办了一张小报,名曰《华人会馆报》,主要刊登一些物资贸易、人员用工信息和国学知识。邹文岳觉得,应该拿起笔来向《华人会馆报》投稿,宣传抗日,在华人圈里形成爱祖国、支援抗日的共识。于是,他以韩雨田的名字,先后在《华人会馆报》上发表抗日文章。

一天,邹海成从外面拿回一张《华人会馆报》,递给儿子邹文岳说:"文岳,报上有一篇宣传抗日的文章,写得非常好,对我们华人支援国内抗日有很大的推动作用。你看看,也学着写几篇抗日文章,我跟《会馆报》的编辑说一下,也给你发表几篇。"

邹文岳从父亲手里接过报纸,不动声色地看着,心说:我的老爸爸,儿子怕您说我惹是生非才化名为"韩雨田"投稿,没想到得到了您老人家的赞赏。岂不知邹文岳返回越南后,已经召集了一批志同道合的同学,经常在一起纵论抗日大事。

同学们讨论的焦点,主要集中在回国投身于抗战究竟是前往延安还是广东,一时形成了激烈的思想交锋。准备再次与邹文岳一起回国抗日的马德宝、李希诺慷慨陈词,力主回广东参加国军抗日。他们认为此举占尽了天时、地利、人和。

李希诺还解释说:"所谓的天时,国民党是中国的执政党,军队是守卫国土的正规军，处于抗日的正面主战场，抗日的主力自然是国民党，抗日的希望也在国民党。"

李希诺还说，尽管从九一八事变以来，国军一直抗战不力，东三省失守，重大战役屡屡失败，但那是因为国军的装备不行，所以战斗力不强。当下亟需我们炎黄子孙同仇敌忾驰援祖国，用满腔热血筑起钢铁长城，完成抗战救国这一全球华人共同的光荣使命。所谓地利与人和，是指从越南回国距离最近的，是国民政府管辖的广东。国民政府人多枪多，一家独大，不像广西、云南和贵州等地军阀割据，各种势力盘根错节……

马德宝也站起来附和说："我们跟文岳在广东求学，非常适应那里的气候和生活。再说，眼下是第二次国共合作时期，追随哪个党派参加抗日都是为国为民，我们何必舍近求远呢？"

大家听了马德宝的话频频点头，感觉理由十分充足。

但邹文岳却主张奔赴延安参加抗战。在场的同学大多不想去延安，一是路途遥远，二是红军不是国家的正规军。

听了同学们的话，邹文岳现身说法，耐心地给同学们讲解去延安的好处和前景。他说："朽必败亡，廉乃大兴。我在国内目睹了国民政府官员贪腐横行，民心尽失。中山先生'天下为公'的信念早已被各级官员抛之脑后。一些国民党军消极抗日、各自为战、军心涣散，很多人沉湎于军队小团体利益和个人私利，让一些胸怀民族大义的军人无用武之地。尽管有充满血性的将士奋起抵抗，挺起了中国人民威武不屈的脊梁，但从国军的整体来看，士气不振、斗志不强、孤勇难撑。重大会战屡屡失败，让国人深感痛心。听说蒋介石之前在指挥作战的间隙还不忘收听上海的股市。大家说，这样的首领怎么靠得住？"

邹文岳又说："中国共产党面对日寇的铁蹄，率先举起武装抗日的旗帜。九一八事变后的第三天，中共迅疾发表宣言，号召民众进行民族自卫战争，并选派杨靖宇、赵尚志、周保中、赵一曼等优秀干部前往东北组织抗战，成立了东北抗日联军，抵抗日本侵略，极大地调动了全民抗战的积极性。一大批反映抗战题材的文艺作品，唤醒了广大民众的抗日意识。其中《松花江上》《义勇军进行曲》等传遍了大江南北，鼓舞着一批又一批仁人志士走向抗日前线。共产党人义薄云天，始终把民族大义举过头顶，并且主动放下党派利益，与国民党建立了抗日民族统一战线。主张抗日的共产党所在地延安，已经成为全国人民心中的革命圣地。我曾在报纸上看到，延安到处洋溢着自由、活泼、生动、欢乐的气氛，充满着自由的空气和平等的精神。"

事实胜于雄辩。为了强化自己的说服力，邹文岳还与马德宝和李希诺回忆起在广东目睹的一些令人触目惊心的事情。光天化日之下，国军士兵竟敢公然对老百姓敲诈勒索。

那是一个周日，三人在广州的一条繁华大街上闲逛。没想到十几个国民党大兵在一家店铺闹事，他们借口店老板用假烟骗钱，店老板一脸无辜地大呼冤枉，但他们仗着人多枪多，不由分说动手开抢，店铺里的烟酒糖茶被那些大兵洗劫一空。情急之下，店老板只好报警。几个姗姗来迟的警察一看是"自己人"，不置一词，转身便走。随后，那些大兵心满意足地爬上军用卡车扬长而去，留下店老板一家人抱头痛哭和遍地狼藉的店铺……

同学们听后无不动容，有人把拳头攥得嘎嘎作响。

邹文岳又动情地讲述了在国内刊物上看到的来自延安的暖心故事。在那里，官兵一致、军民一心抗日，领导人很廉洁，当官的待遇和一般士兵相差很小；领导人与人民群众平等相处，不像国民党统治区那样等级森严；延安没有乞丐、妓女和失业的人员，虽说日子很是清贫、艰苦，但人民生活得舒心快乐，男女关系严肃，朴素成风……"

邹文岳还没讲完，同学们已经掌声四起。

邹文岳心里明白，掌声已经代表了大家对延安新生活的认同和向往。

有人兴奋地喊了一声："延安，不就是孔夫子的大同世界的愿景吗？没什么好说的，马上回国，去延安！"

从此，以邹文岳为首的十几个热血青年，开始寻觅去延安的路线。

邹海成发现儿子整天不着家,而且无心打理店里的生意,便问儿子每天都忙些什么时,邹文岳回答说:"从国内返回后,几个要好的同学纷纷邀请我聚会,又不好推辞。所以,这个请罢那个约,忙得不可开交。"

邹海成听儿子这样一说,觉得交朋好友也是人之常情,不能拒绝人家的一番好意,这样日后对儿子开拓生意也有好处。

邹海成也就没再说什么,心想:儿子回国求学一年半时间,越南同学肯定要询问一些中国内地的景况,让儿子在同学圈里显摆一下也无妨,这也是锻炼儿子口才和交际能力的极好机会。

邹文岳第一次对父亲撒谎,心里还有些忐忑不安。可是,他经常与同学集会,研究回国抗日的行期和路线,不免引起了母亲的怀疑。母亲询问儿子根由时,邹文岳便以种种借口搪塞,而且心安理得,并没觉得对母亲撒谎是一件不忠不孝的事。

10

洗铅华赴国难　奔延安箭难收

盛夏的一个傍晚，天气异常沉闷，憋了好久的一场暴雨一直没有下，空气中充满焦躁与压抑。

越南海防市东郊，临海而建的邹家大院，古朴大气。外墙颜色黄白相间，甬道两旁绿树成荫，美丽壮观的法式建筑别致典雅，与周围景致形成鲜明对比。此时，邹家大院里的气氛却一点都不欢快，反而笼罩在一片愁云之中，比这恼人的天气还要糟糕。

身为邹记瓷器行老板、海防市华侨联合会会长的邹海成，与太太并排坐在藤椅上，心不在焉地纳凉品茶，手中的蒲扇滞重缓慢地摇动着。身前一台老式收音机里，女播音员清晰沉痛的声音充溢在院子里的每个角落："卢沟桥事变之后，日本帝国主义向我们中国发动了全面进攻。7月28日，日军攻占北平南苑。7月29日，日军占领北平。7月30日，日军占领天津……为求一举灭亡中国，日本动员数十万兵力大举侵华，华北各地要塞告急……8月13日，日军开始进攻上海，我国民军及税警总团、中央军校教导总队、宪兵团、上海市保安总团、上海市警察总队、江苏省保安团等守军誓死抵抗，淞沪保卫战惨烈展开……"

邹海成听着，脸色越来越凝重，抬头看看乌云翻滚的天空，心头仿佛被一块沉重的石头压下来："唉——倭寇猖狂，中华民族多灾多难啊！"

邹太太起身给丈夫的茶杯里续了茶，忧心忡忡地叹气说："老爷，你发现没有，这些天我们家文岳总是见首不见尾的，不知早出晚归忙些什么。咱邹家可就这一个宝贝儿子，千万别闹出什么岔子啊！"

邹海成欠欠身子，摇着蒲扇说："没有什么，文岳从国内回来，好多同学都在邀请他。头晌，我还教他开了两个小时的汽车。"

说话间，偌大的天空好像承受不了乌云的重压，噼里啪啦地将豆大的雨点倾泻下来。雨帘中，邹家女仆阿秀急匆匆地走到邹海成身边，说："老爷，今世玉缘的马老爷来访。"

"马世玉这个时候来访，肯定有重要的事情。"邹海成心里嘀咕着，身子却不由自主地站了起来，持一柄雨伞朝前门迎去。

海防市珠宝大亨马世玉冒雨走进门来，刚一落座就急吼吼地对邹海成说："邹会长，不得了啦！您家少爷好像在策划什么抗日的大事，赶紧想办法制止一下吧！"

邹海成不疾不徐地回道："马老板，别着急！天下雨了，还没打雷，有话慢慢讲。"

"邹会长啊！"马世玉按捺不住心中的焦虑，说话依然那么急："我冒雨赶来，是因为这事儿非同小可、事不宜迟啊！"

接着，马世玉一五一十地对邹海成夫妇说："最近几天，我发现儿子德宝与你家少爷文岳，还有几个同学，频频到我家闭门聚会，似乎在谋划什么大事儿。我心生疑虑，遂派阿贵进去添茶倒水打探消息，结果怎么样？这帮孩子好像是要回国参加什么抗日。"

马世玉又喘口气说："邹会长，更要命的是，他们已经开始行动了！"

邹海成刚才还四平八稳地坐在藤椅上摇扇子，听了马世玉一番话，突然直起身子，说："有这事儿？"

马世玉说："今天午饭后，德宝跟我说，他约好了您家文岳等几个同学去沙滩游泳，晚饭不在家吃了。我派阿贵悄悄跟着他们，想看看他们去沙滩究竟干什么。刚才，阿贵回来禀告说，他们并不是去海边玩，而是结伴前往港口码头和北仑河边查看地形，已经在实施回国计划了。邹会长，你说我能不急吗？"

邹海成听完了马世玉的"密告",又慢慢地靠在藤椅上,转头看了看身边的太太,说:"夫人,我整天跑农场和瓷器店,还没注意到文岳近来有什么异常表现,你回头问问原由,我们好预先准备,早做决定。"

阮氏桂好像被马世玉和丈夫的谈话吓蒙了,脸上布满了悲戚和恐惧,颤声回道:"这些日子,我也觉着这帮孩子不同以往。他们也曾来咱家聚过几次,好像在谈论抗日救国什么的。刚才马老板说的恐怕是真的,咱得赶紧想办法,文岳不满十七岁,千万不要闹出什么事啊!"

"不错,他们就是讨论中日战争。最近,咱们《华侨会馆报》上登载的那些宣传抗日的文章,引人注目、颇具影响。邹会长,你知道那些文章是谁写的吗?"

邹海成瞅着马世玉,问:"谁写的?"

马世玉一拍大腿,说:"是你儿子文岳写的。据我了解,文章上的署名叫'韩雨田',就是令郎文岳的笔名啊!我还听到德宝称邹少爷'韩雨田'呢……"

邹海成再次坐直身子,喜忧参半地瞅着马世玉:"文岳写的?"

马世玉叹口气说:"唉!最近,法国人和越南上层正在关注咱们华侨的动向,严防华侨团体借中日战争之机在越南搞事。文岳和德宝他们这样做,不但会耽误他们的学业,还会危及他们的前程啊!"

邹海成又把后背慢慢地靠在藤椅上,安慰马世玉道:"马老板,等文岳回来,我会问清楚的。如果真像你说的这样,我会想法阻止他们的。嘿,一帮乳臭未干的小毛孩,不好好读书,还掺和什么抗日救国,真是初生牛犊不怕虎啊!"

这时,雨慢慢地停了下来,马世玉拿起雨伞说:"邹会长,雨停了,我得回店里打烊了。"

送走了马世玉,邹海成夫妇又回到原地坐下来,一边听收音机里的新闻,一边心急火燎地等儿子邹文岳回家。时间一点点地消失,阮氏桂不知喝了多少杯茶水,邹海成也不记得抽了多少支香烟……

夜深了,阮氏桂的担忧也越发紧迫起来,她望着院外沉沉的夜幕,坐卧不宁,在屋里院外踱来踱去。

终于,大门吱吱嘎嘎地响了两声。随后,是儿子急促的脚步声。阮氏桂赶紧迎上前去,一边拍着儿子的肩膀,一边问:"文岳啊,咋这晚才回来?以后可不许乱跑了啊!"

邹文岳瞅瞅坐在院廊藤椅上的父亲,上前小声问:"爸、妈,这是怎么了,为啥还不休息?"

端坐在藤椅上的邹海成,低声低气地说:"等你呢,怎么休息?文岳,过来,爸爸有话跟你说。"

邹文岳压根就没想到,父母已经知道了他和同学们回国抗日的事儿,还以为天天这么晚回家,让父母担心了。他怯怯地走到父亲跟前站定,说:"爸爸,这么晚了,您回屋休息吧,有事明天说,行不?"

邹海成瞅儿子一眼,慢条斯理道:"文岳,你是咱邹家的唯一男丁,你的两个姐姐已经出嫁,你的两个妹妹将来也会嫁人的。你爷爷和我创下的这份家业,只有你来继承了。现在,你不能少年意气,整天与同学搞些分外的事情,否则不但荒废学业,还会惹祸上身啊!"

邹文岳争辩道:"爸,我跟同学们研究的都是正事,怎么会惹祸上身呢?"

邹海成不动声色地说:"听说你跟马德宝等几个同学,正在谋划回国抗日的事儿,是真的吗?"

"爸——"邹文岳闻言一愣,随后,语气更加坚定起来:"爸,现在日寇发动的侵华战争已经全面爆发,我们的祖国正遍地狼烟,生灵涂炭,中华民族到了生死存亡的危急关头。我作为一个炎黄子孙,怎能袖手旁观,不闻不问呢?爸,国家兴亡,匹夫有责啊!"

邹海成挥手拍了拍藤椅上的扶手,说:"不得强词夺理!文岳,你还不满十七岁,还是个乳臭未干的孩子啊!嘿,站直了都没有一条枪高,还敢说抗日?"

邹文岳说:"爸,您不知道,那些红军战士刚参军的时候百分之七十都是

向着太阳走

十五六岁的孩子。我已经十七岁了,难道让我'商女不知亡国恨,隔江犹唱后庭花'吗?爸,几年前,您在海边,曾教给我好多气壮山河的诗句,儿子可一直铭记在心呢!"

紧接着,邹文岳向父亲脱口吟诵出一串舍身报国的名句:"捐躯赴国难,视死忽如归""愿得此身长报国,何须生入玉门关""胸中有誓深于海,肯使神州竟陆沉""无限山河泪,谁言天地宽"……

听到儿子一番掷地有声的话语,邹海成既焦虑又颇感欣慰,心想:这分明是自己倾尽心血教育和培养的结果啊,看来儿子真的长大了!

邹海成想到这儿,慢慢从藤椅上站起来,围着茶几踱着步,又想起古人的话:海阔凭鱼跃,天高任鸟飞。他想,应该尊重儿子的选择,也应该让儿子到外面开创自己的事业了。

邹海成又回头瞅瞅一直没言语的太太,不由得叹了口气:唉!只怕把儿子视为心头肉的夫人,不会同意啊!

邹文岳见父亲围着茶几踱来踱去,一直不说话,心里不免紧张起来。他知道父亲的习惯,每当生意上遇到难缠的事情总是闷闷不语,嘴里香烟一根接一根地抽个不停。当他拿定主意时,便把香烟往烟灰缸里狠狠拧上一圈,脸上露出胜利者的笑容。

每当这时,母亲阮氏桂便给他递上一杯热茶,扶他慢慢坐在藤椅上,说:"夫君,在屋里转了半天,歇歇喝口水吧,刚沏的。"

阮氏桂虽然是土生土长的越南女人,但是打小就接受中国男尊女卑等传统文化的熏陶和影响,在丈夫面前从不多言多语。特别是儿子从国内回来后,邹海成过分地溺爱起儿子,阮氏桂只是看在眼里,从不对丈夫说三道四,指手画脚。

方才,她听过他们父子的一番对话,觉着当母亲的本应该上前制止儿子顶撞父亲的言辞,可是话到嘴边好几次,她都悄悄地咽了回去。她知道,丈夫会有足够的理由和智慧说服儿子的。

阮氏桂见丈夫邹海成依然面有愠色，才言不由衷地对儿子说："文岳，你说的可能有些道理，我这个做母亲的也不想多说。但是，你别忘了孔老夫子的一句话，'父母在，不远游'。你今晚好好闭门思过，想通了，明天再跟爸爸谈。半夜了，叫你爸爸早些休息吧。"

邹海成听了妻子的话，两眼忍不住闪出了泪花。转身把妻子扶到藤椅上坐下，说："夫人，这是家里的大事！你若有话就跟儿子说，不要憋在心里嘛！"

阮氏桂瞅瞅丈夫，忍不住流着泪说："文岳啊，你是个孩子，还是个学生仔，中国那么大，有四万万人口，抗日不差你一个啊！况且，咱们现在身在越南，只是一个华侨而已。你要听父母的话，不要再写什么宣传回国抗日的文章了，千万不要再想什么回国抗日的事情了，一定要安安心心地读书。爸妈年纪大了，邹家的家业还指望你呢，怎么会允许你去战火中冒险呢？今晚，你一定得好好想一想，要知道天有多高，地有多厚啊！"

"妈——"邹文岳正要开口辩驳时，父亲打个哈欠，打断了儿子话说："文岳，休要说了，回屋歇息吧，有话明天再说。"

邹文岳转身朝屋里走去。

阮氏桂见儿子走进屋里，回头对佣人阿秀说："今晚当心点，把院门插好，看好少爷。"

随后，阮氏桂叹口气，扶着丈夫上了二楼的卧室。

阿秀收拾起院子里的藤椅、茶具和收音机，关了各处的电灯，把大门插好后，也进了她在一楼餐厅旁的卧室。

邹家的四合院，立时沉浸在一片黑暗之中。

11

冲破家庭阻力　誓做报国儿郎

月光透过三楼的窗户，洒落在宽大的红木床上，远处海滩传来的潮浪撞击声，隐隐约约地传进了邹文岳的耳膜，他和衣躺在床上，却没有半点的睡意。从小到大，他乖巧懂事，性情沉稳，这些年来还是第一次与父亲面对面地争执。父亲说的话，还一直在耳边回响，父亲的表情也一直在眼前浮动。都说知子莫若父，看来，父亲表面上严厉，心里是理解儿子回国抗战的。因为父亲也是少年离家闯天下，来到越南继承了爷爷的一方天地，他怎么能不理解自己的儿子呢？只怕是身体瘦弱、爱子如命的母亲……怎么办？自己也是肉体凡胎，怎能从此远走，让母亲忧心？！

邹文岳辗转反侧，难以入睡。自打从国内回到越南，父亲一改过去的严厉，回家的第二天就带他到西贡市最时髦、价格最昂贵的服装店给他买了两套西装和皮鞋，从里到外给儿子换了个新鲜。第三天，又开始教儿子学开汽车。在伙食上就别说了，凡是越南境内有的、饭馆里吃过的，都要买回来叫厨子烹饪一番，让邹文岳饱餐一顿。这一切的一切，把邹文岳弄得无所适从，受宠若惊。

在邹文岳的记忆里，父亲还从未这样奢侈过。特别是对他这个儿子，所谓的邹家独苗，也从未优待过半点儿，甚至还叮嘱母亲阮氏桂说"穷养儿，富养女"。

唯命是从的母亲，即使想对儿子厚爱一层，明面上也不敢张扬放肆，只是背地里往儿子衣兜里塞几块糖果而已。

一开始，邹文岳还以为自己刚从国内回来，父亲久别重逢，从生活上给儿子一些补偿而已。没想到，父亲彻底改变了"成由勤俭破由奢"的观念，对儿子的花销、吃用方面奢侈到了无以复加的地步。甭说外人多有议论，就连视儿子如至宝的母亲阮氏桂，见丈夫对儿子如此放纵，都有点看不过眼了。

不知为啥，邹文岳突然从床上坐起来，穿上衣服走到窗前，望着在浮云中闪烁的月亮，心说：可怜天下父母心啊！父亲岂止是放纵儿子？分明是想用优越的物质生活，拴住儿子的心啊！

邹文岳想到这儿，泪水已经模糊了双眼。父亲不但是搏击商海的能手，更是处理亲情与世情的高手。一个月来，自己的所作所为满以为瞒住了父亲的耳目，其实早已被城府极深、含而不露的父亲看在了眼里。

父亲不是在放纵儿子，而是在静观事态的发展。早在儿子邹文岳从国内回越后，邹海成便询问过国内的抗战形势，不谙世事的儿子便从头至尾，如此这般地跟父亲说了个淋漓尽致，并且还流露出了回国抗日的心愿。未动声色的父亲只是笑了笑，说："好，去陪陪你母亲吧，她刚刚好转，少惹她生气。"

天上的月亮已经冲破重重乌云，射出了清晰的一束束光亮。邹文岳一跺脚，自古忠孝难两全，既然策划回国的秘密被父母发现了，就必须放弃安逸，快刀斩乱麻，提前行动。不然，夜长梦多，阻力会越来越大，甚至会有前功尽弃的可能。

邹文岳又躺在床上，反复思考着与马德宝、李希诺、刘清萍等同学制定的回国计划。这些同学都是邹文岳最近一段时间反复做工作动员起来的。大家在邹文岳的动员下，决心拒绝安逸，抛却富贵，结伴组队返回祖国，投身于抗日救国的洪流中去。

为了躲避父母及家人的阻拦和追踪，邹文岳决定不乘船走海路，也不乘车走陆路，而是横渡北仑河，徒步穿过河对岸的荒山野岭，进入广西境内，然后再由广西奔赴延安，杀向抗日前线。

天色渐渐明亮起来，一夜未眠的邹文岳，一大早就徘徊在后花园的幽静之处，突然感到自家的花园如此亲切，一股强烈的留恋之情塞满了他的胸膛，心里不由得吟诵起辛弃疾的《水龙吟·登建康赏心亭》：

楚天千里清秋，水随天去秋无际。遥岑远目，献愁供恨，玉簪螺髻。落日楼头，断鸿声里，江南游子。把吴钩看了，栏杆拍遍，无人会，登临意。

休说鲈鱼堪脍，尽西风，季鹰归未？求田问舍，怕应羞见，刘郎才气。可惜流年，忧愁风雨，树犹如此！倩何人唤取，红巾翠袖，揾英雄泪！

辛弃疾的这首《水龙吟》是邹文岳儿时最喜欢的一首词。它豪而不放，壮中见悲，境界宏大，抒发了游子的家国之恨和思乡之情。千百年来，它慰藉了多少壮志难酬的爱国志士那一颗颗赤子之心。此时此刻，也淋漓尽致地触发了邹文岳以天下为己任的抱负和诚挚无私的爱国情怀。

他一边缓缓地吟诵，一边在花丛中踽踽独行，一副低眉敛目、心事重重的样子，竟然被迎面走来的父亲发现。慈爱的父亲目不转睛地注视着儿子，眼神里蕴藏着对儿子的千言万语。

这个与父亲不同寻常的对视，温暖了邹文岳的一生。那一刻，他的心豁然开朗起来。他完全读懂了父亲的眼神，父亲也读懂了儿子的目光。父子二人相视无言，在花园里静静地默立了好一会儿。

邹海成走上前，关切地拍拍儿子的肩膀，简洁而郑重地说了三句话："两百块大洋的盘缠，在书房的皮箱里；临走前一定想办法安抚好母亲；路上千万注意安全！"说完，邹海成已是老泪纵横，瞅了儿子一眼，转身离去。

早饭时分，父子二人默默地走进餐厅。一家人闷闷无语地吃了一顿哑巴饭。

敏感的母亲已经意识到，一定有不可想象的事情发生了。她心神不宁地看着丈夫和儿子，心不在焉地扒拉着碗里的饭，味同嚼蜡。

餐桌上的空气沉闷得让人喘不过气来。

饭后，邹文岳来到母亲的房间，几次欲言又止。良久，才用喑哑的声音说：

"妈妈，请您原谅儿子的不孝！我已经与同学约好了回国抗战的事，是不能反悔的。妈妈，待抗战胜利后，儿子会马上回来孝敬二老，让二老尽享天伦之乐。为了避免其他同学的家长来找二老的麻烦，请妈妈让阿秀把我锁在三楼卧室，让我自己想办法离开吧。"

母亲阮氏桂一听，泪水顿时滚落下来。就像儿子马上要飞了一样，她紧紧地握着儿子的双手，连声说："儿子，你不能走，你别再生出回国的念头了！"

邹文岳伸手轻轻地拭去母亲脸上的泪水，说："妈妈，事已至此，儿子不能反悔！因为儿子是十几个同学的头儿，在这关键时刻，若是儿子打了退堂鼓，同学们会骂我不忠不义的！"

阮氏桂泪流满面道："文岳，你还是个孩子呀！要是有个好歹，我和你爸爸还怎么活呀？你爷爷和爸爸吃苦受累，忙碌了一辈子积攒下的这份家业，你要是走了，就会改了姓氏啊！"

邹文岳为难地低下头，眼眶也湿了："妈妈，国家都没有了，邹家这点财产算得了什么？您放心，儿子一定没事的！您二老一定要保重好身体，等儿子把日本鬼子打回东洋去，就回来孝敬二老。到那时，我们的家业才会真正地传续下去。妈妈，没有国哪有家啊！"

邹文岳说完，抹着泪转身上了三楼。

望着儿子决然离去的背影，万般无奈的阮氏桂只能强忍悲痛，心如刀绞地喊来阿秀，把儿子的房门上了锁。

过了一会儿，邹文岳在三楼听到一楼的客厅里来了几位熟识的富家太太。她们在母亲和阿秀的招呼下，很快传来了哗啦哗啦的麻将声。

邹文岳很快写了一封辞别信，放在书桌上最显眼的地方，然后用被套、床单做成一条长长的布绳拴在窗户上，将装有二百块大洋的手提箱绑在腰间，双手紧握布绳，悄悄地滑下了三楼，又蹑手蹑脚地走到院墙处，手脚并用爬上墙头，翻墙而出。

到了墙外，他迅速解下腰间的手提箱，大步朝西北方向跑去。

向着太阳走

　　正式与从小生活、嬉戏的这座四合院告别，和养育了自己十七年的父母告别，和手足情深一起长大的四个姐妹告别，邹文岳还是忍不住流下了无奈的泪水，但他前行的脚步始终没有停下来。

　　半小时后，邹文岳来到海防市华侨中学，委托门卫叫出好友马德宝，见面后立即告诉他说：我们的计划已经暴露，必须提前行动。他让马德宝马上通知李希诺和刘清萍等人，中午之前大家到北仑河渡口集合，迅速离开海防市，踏上归国之路。

　　马德宝开始还不相信邹文岳的话，认为这样急匆匆地行动太鲁莽了，大家还没做好出发的准备。

　　邹文岳说："昨天晚上，你爸爸去我家，说了我们准备回国的事情，我回到家就被父亲软禁起来了。"

　　马德宝听罢，才意识到了问题的严重性。他当即保证，马上通知其他同学上午离开学校，行李和盘缠都不能带了，直接去北仑河渡口集合。

　　邹文岳说："告诉他们，不用带盘缠，我爸爸给我带了二百块大洋，足够路上用的了。"

　　马德宝竖起大拇指，给邹文岳点了个赞，转身跑去。

　　邹文岳迅速离开华侨中学大门口，雇了一辆黄包车，让车夫拉着他直奔北仑河渡口。

　　日头火辣辣地挂在天边，邹文岳心急火燎地等待同学们的到来。天热与心热叠加在一起，把邹文岳焦躁得汗流浃背。

　　他担心阿秀或母亲发现他爬窗逃走后会组织人马到车站、码头搜寻，便急忙躲在路边的灌木丛里。心想，只有尽快离开海防市，过了北仑河，才算摆脱了父母的追踪。

　　刚刚告别亲情，那种撕心裂肺的万千情丝还在邹文岳心里纠结。母亲的泪水虽然未能撼动他的信念，但与母亲的诀别就像当头的烈日，由外而内炙烤着他的内心。

邹文岳身材不高，五官清秀，英俊白皙的面庞透着超越年龄的沉稳，浓眉下的一双大眼睛格外有神，清澈深邃的目光一尘不染，通身洋溢着青春风采。

这位阳光少年，深深吸引了海防华侨会馆馆主刘义和的独生女儿刘清萍，她对邹文岳一直倾慕不已。邹文岳第一次向同班的华侨同学提出回国抗日的号召时，首先报名的就是刘清萍。

刘清萍身材匀称，面容姣好，才华横溢，是典型的美女加才女，而且属于难得一见的新型女性。她受邹文岳进步思想的鼓舞和抗日热情的感染，更加看好崇尚民族大义的邹文岳。在邹文岳组织的抗日救国活动中，她便有意识地接近邹文岳，并积极参加邹文岳组织的抗日募捐、主题沙龙、郊游聚会等各种活动。

每次活动，刘清萍总是充当热情饱满的主力队员，要钱出钱、要力出力，并拿出了全部力量投入活动中来。在自然而然的接触中，邹文岳也对她产生了好感。两个人虽然在口头上没有公开恋爱关系，但相同的家庭背景、共同的理想追求，却让两个少男少女的心产生了共鸣。

没想到，随着祖国抗日战况的日益恶化，他们的感情却出现了难以弥合的裂痕。

刘清萍身为独生女，是回国抗日追随爱情还是留在越南守望父母，这道人生难题让刘清萍寝食难安、无所适从。她曾几次温言细语、声泪俱下地挽留心上人，但邹文岳却信念如磐。

在艰难的人生抉择面前，刘清萍身心交瘁、神色黯然。正值豆蔻年华的她，竟然在半个月间明显地消瘦了下去。

邹文岳虽然满腹爱怜之情，但还是反复劝刘清萍安心留在越南，好好侍奉双亲，静候他凯旋。

而陷入爱河的刘清萍，怎么割舍得下这份炽烈的情感呢？在说服不了邹文岳的情况下，只能狠下心来跟随邹文岳回国。

天近晌午，马德宝和李希诺这两个坚定的行动派终于结伴而来。他们是从学校直接到北仑河渡口的，除了校服和皮鞋，身上只有书包，书包里也只有少许的零钱和零食。

二人立足未稳，就急忙对邹文岳说：刘清萍和其他五位同学，回家取东西，马上就会赶过来。

不一会儿，刘清萍果然从一辆疾驰的马车上跳下来。马德宝和李希诺高兴地从树丛里冲出去，向刘清萍招手。

刘清萍擦拭着脑门上的汗水，跑上前说："还好，我没迟到！"跟马德宝二人说话时，目光却在四处搜寻邹文岳的身影。

此时的邹文岳机械地从树丛中走出来，他不知道自己还有什么办法可以劝阻刘清萍。

邹文岳站在烈日下，见身体单薄瘦弱的刘清萍满脸热汗，一时无语凝噎。心说：身为男人，责任大于天，此时此刻，我必须劝她就此留步。可是，纵使他口吐莲花，也依然无果，执拗的刘清萍还是不肯离开邹文岳半步。

突然间，汽车的轰鸣声由远及近地传来。

"啊？！清萍，你爸——是你爸的汽车！"马德宝看着那辆黑色轿车疾驰而来，惊慌地喊道。

刘清萍的爸爸刘义和是海防市华侨会馆的主持，家财虽然不及邹家和马家，但他从小在上海滩长大，讲究生活品质，来到海防市不久，就花重金买了一辆拉风牌汽车，想与邹海成一比高低。

刘清萍见此，吓得脸色苍白，手足无措地瞅着邹文岳说："我爸怎么会追到这里来？！"

李希诺抱怨说："让你直接从学校请假来这里集合，可你非要回家拿东西！这不，肯定是被你家人盯上了！"

四个人见轿车开过来，急忙蹲在树丛里，凝神屏息，不知如何是好。

谁能料到，邹文岳却像抓住了一根救命稻草。待汽车驶近，他急忙冲出树丛挥舞双手大喊："刘叔叔，刘叔叔！我们在这里！"

刘义和停下车，脑袋钻出车窗问："清萍跟你们在一起吗？"

邹文岳急忙说："在，在！清萍是来送我们的，她正要回家呢，您赶紧把她接回去吧！恳请刘叔叔一定替我们保密！谢谢刘叔叔！"

这时，刘清萍也朝汽车飞奔而来，刘义和从轿车里下来，父女俩抱头痛哭。

良久，刘清萍抬起梨花带雨的脸庞，瞅着心爱的邹文岳，无奈地说了两句送别诗："相见争如不见，有情何似无情。""他生莫作有情痴，天地无处著相思。"

一直保持镇定的邹文岳，听了刘清萍的诗更是肝肠寸断，也给刘清萍和唱了两句诗："两情若是久长时，又岂在朝朝暮暮。""愿我如星卿如月，夜夜流光相皎洁。"

刘义和看到女儿与邹文岳难舍难分的样子，怕夜长梦多，督促女儿说："清萍啊！快跟爸爸回去吧！他们回国抗日就让他们去吧！你一个女孩子家，跟着他们掺和个什么？！"

刘义和攥着刘清萍的胳膊，央求女儿。

"不——爸爸！我都十七岁了，是成人了，不是小孩子了，我有权决定自己的事情！"刘清萍一边抓着邹文岳的手，一边与父亲嚷嚷道。

"爸爸不会放你走的！就是死在这里，也不会放你走！快跟爸爸回家！"刘义和拉着女儿往轿车里拽。

邹文岳、马德宝和李希诺站在那里，看着刘义和父女俩相持不下，心里特别着急。毕竟，在海防市邹、马、李、刘四家都是有头有脸的华人，请动越南警方甚至军方来抓他们，绝对不是什么难办的事情。

马德宝阴沉着脸对邹文岳说："成大事者，不拘小节！我看，倒不如给这位刘矮子点厉害瞧瞧！"

刘义和不但身材矮小，而且羸弱不堪，不用邹文岳和李希诺伸手，马德宝自己就能把他拧成麻花。

马德宝说完，朝前跨了两步，伸手去抓刘义和。

邹文岳急忙拦住马德宝，说："归国抗日是大事，不要因小失大。"

李希诺也觉得马德宝以下犯上，有失伦理。他低声问邹文岳："文岳，你说怎么办？"

在他们班的同学中，邹文岳的年龄虽然不是最大，但他头脑灵活、心思缜密，一直被同学们奉为大哥。遇到事情，他们几个都愿意听邹文岳的主意。这也是邹文岳能够说服他们放弃安逸生活、归国抗日的主要原因。

邹文岳思索片刻，正要上前劝说刘清萍时，刘义和却歇斯底里地喊起来："告诉你们，我不会轻易放过你们的！你们蛊惑我女儿跟着你们私奔，我——我回去告诉你们的父母，让他们做主，惩罚你们！"

刘义和这么一喊，等于火上浇油，马德宝按捺不住心中的怒火，催促邹文岳说："文岳，还犹豫什么？既然他铁了心地阻拦清萍，还要报告我们的行踪，不如先把他灭了！"

刘清萍万万没想到，事情会发展到这种地步。她惊恐地看着马德宝尖叫道："德宝！你——你要灭了我爸？！"

父女之间的血脉关系，使刘清萍不由自主地维护起自己的爸爸来。李希诺焦急地看着邹文岳："文岳，快说话呀！这么僵持下去，我们就走不成了！"

邹文岳上前抓住马德宝的胳膊，对脸色煞白的刘义和说："刘叔，回国抗日是自愿的，谁也没强迫谁，只要清萍同意，您就带她回去。不过，您回去后，不得将我们的行踪告知我们的家长！否则，一切后果由您自己承担。"

"文岳说得对！"李希诺当即附和。

邹文岳双目盯着刘义和说："刘叔，只要您保证回去后不打我们的小报告，替我们保密，那我们今天就饶你一命！"

刘义和听了邹文岳的话，又看看气势汹汹的李希诺和马德宝，心里胆怯了。他心里明白，十七八岁正是天不怕地不怕的年纪，做事根本不考虑后果。若是执意跟他们对抗到底，不但没有好果子吃，恐怕这条小命都得葬送在他们手里。

刘义和想到这儿，立马放下长辈的脸面，说："三位少爷，只要你们把清萍劝回家，我决不暴露你们的行踪。"

邹文岳转身对刘清萍说："清萍，你决定吧！"

邹文岳已经看出刘清萍对她爸爸的态度。俗话说，强扭的瓜不甜，若是此时强迫她跟着自己走，她心里肯定会留下难以承受的痛苦。于是，他把刘清萍拽到一边，说："清萍，想抗日就得义无反顾地舍弃父母亲人、家庭财富和舒适安逸的生活，只有这样，才能成为一个坚定的爱国主义者！"

刘清萍瞅瞅邹文岳和自己的父亲，抹着泪说："文岳，我——我跟我爸爸回去了。若有缘分，咱——咱们再会！"

说完，刘清萍跟着父亲刘义和上了汽车……

天近晌午，早已约好的那几位同学还没赶来，时间足以说明他们有可能临阵变卦或者被父母拦在家里了。

邹文岳怕刘义和不遵守承诺，回到家说出他们的行踪，如果继续等下去，所有的计划就会彻底泡汤。于是，他转过身，平静地对马德宝和李希诺说："事不宜迟！不能等其他同学了，咱们抓紧赶路吧！"

12

拒享安逸生活　向往革命圣地

1937年9月底，怀着赤子之心的邹文岳，带着他的好友马德宝和李希诺，开始了返回祖国的行程。

北仑河地处海防市北面的荒郊野岭，只有一个小渡口，人烟稀少，半天也见不到有人乘船过河。

三人匆匆来到渡口，不见摆渡艄公的身影，只有一条长约三米、宽约一米半的小木船，被缆绳拴在河边的木桩上，在河水中孤零零地随风悠荡着。

他们顾不得寻找船工，径直解开缆绳，将小木船拖到河边，跳上去抄起船桨，划向北仑河的对岸。

邹文岳、马德宝和李希诺三人自小在海边长大，游泳、划船技能娴熟，两支船桨三人轮换掌握，随着哗啦啦的桨声，小木船嗖嗖穿行在河上，很快到达了彼岸。踏上河滩，更是不敢耽搁，他们快步走进了山林中。

这次出行，邹文岳总结了上次回国的经验教训，背着父母做好了充分准备。一是砍刀，二是咸盐，三是火柴，这三样东西是出行者随身携带的必需品。若是出行荒漠，水袋也是不可缺少的。因中越边境山高水长，有山必有水，渴了趴在河沟里就能喝个饱，所以，他也就没准备水袋。

进了大山，邹文岳三人砍下三根树枝当作拐杖和护身的武器，顺着沟壑朝北方急行而去。

当他们进入荒山深处时，天色渐晚，距离北仑河已有数十里路。估计他们的踪迹很难被家人发现后，三人才放慢了脚步，一边走，一边搜寻夜里安身的地方。

他们在临行前制定行动计划时，知道回国之路漫长，必须日夜兼程，风餐露宿，穿越无数的荒山野岭。所以，他们在海防市的沙滩上，专门练习了一些野外生存知识和技能。在漫长的路途中，除了躲避蚊虫和毒蛇叮咬，还要防备山里野兽的袭击。

越南与中国边境一带山高林深，人烟稀少，常有虎豹狼熊等野兽出没于路上，稍不留心，就会有生命危险。

三人结伴，长棍在手。白天，即便有野兽看到他们，也不敢贸然进攻。夜里就大不一样了，一旦与那些大野兽相遇，便是凶多吉少。他们分工明确，马德宝依然在前头开路，李希诺在中间，邹文岳殿后，三人的距离不超过三步，遇到突发情况，可以相互支援。

还好，走了一天，他们的运气不错，天刚擦黑，山野进入一片朦胧时，他们发现山上有个入口狭小、内里宽阔的山洞。猫身钻进去，虽然里面有一股草木腐烂的难闻气味，但足够容纳他们三人睡上一宿了。因为洞口小，用几块稍大的山石加上邹文岳携带的手提箱就能挡住，所以也不必担心夜里有野兽钻进来。

从下午到傍晚，三人一边翻山越岭赶路，一边搜寻可吃的野果野菜和可喝的山泉水，再加上马德宝和李希诺书包中的零食，足能安慰他们咕噜乱叫的肚子了。只是多半天不停的跋涉使得他们疲惫不堪。三人背靠洞壁依偎在一起，很快迷糊了过去。

到了天亮，才发现山洞里竟然有许多蚊虫，咬得他们脸面、脖子、手脚等露在衣服外面的皮肤一片红肿，痛痒难耐。

多亏邹文岳逃离家里时，带了两瓶专门防治蚊虫叮咬的红花油。他赶紧从手提箱里拿出来，三人相互涂抹了一番，才缓解了痛痒。

他们寻了一些野果野菜充饥，开始研究接下来的行程。昨天，他们还担心

向着太阳走

刘义和回去后不讲信用,将他们横渡北仑河、翻越荒山野岭回国抗日的路径告知父母,因此三人顾不上好好商量一下,就急匆匆地赶起路来。现在,暴露踪迹和被捉拿回家的危险终于解除了。

因为事先统一了目的地,所以,马德宝和李希诺二人对邹文岳计划的行程毫无异议,三人所要研究的只是吃住行方面的问题。他们简单统计了一下,邹文岳所带的二百块银元,是他们三人此时唯一的财富。于是,他们决定,为防不慎丢失或被土匪抢劫,把二百块银元分成三份,由三人贴身藏在内衣里。

邹文岳的手提箱,可当作诱饵,一旦遇到抢劫就立马扔出去,舍卒保车。途中若走到没有人烟的地方,就摘吃野果野菜,或捕捉小动物烧烤充饥。若是遇到村落小镇,可以打几天短工,筹备一些食物。行程中,能省的吃住行等费用就尽量省下来,节约下来的每一块银元,到了延安,都贡献出去支持抗日。

三人在邹文岳的提议下,全都改了姓名,并相互约定,从今天起,不再称呼对方原来的姓氏名字,一律称呼新取的姓名。

邹文岳继续使用他在华侨小报上发表文章时的署名韩雨田。李希诺改名为李新生,他说:"共产党像太阳,照到哪里哪里亮,咱们仨一心向着太阳走。"马德宝得意洋洋地说:"我的名字最好取,因为我侥幸姓马,名字就叫马恩列吧!"

邹文岳和李希诺纷纷撇嘴,说这个名字犯大忌,你个小小的华侨子弟,竟敢用三位共产党创始人的姓氏作名字,岂不成了全世界共产党人的领袖?三人嘀咕了几句,马德宝才同意将他的名字改成马得草。

韩雨田——李新生——马得草!三人互相大声喊着新取的姓名,兴高采烈,告别了旧我,获得了新生。

他们三人并排而站,面对浩瀚空旷的山野,齐声大喊:"邹文岳!马德宝!李希诺!你们死了!凤凰涅槃!浴火重生!韩雨田、马得草、李新生,我们来了!我们来了!我们来了!倭寇们,你们颤抖吧!"

朝阳东升,红霞万丈,天地之间,阵阵回声,绵绵不绝……

方向明确,目标已定,韩雨田、李新生、马得草三人精神十足地翻山越岭,一直走了半个多月光景。

在这半个多月的行程中，曾经遇到过一只金钱豹。那豹子和他们一对面，看到三人齐齐吆喝并高举长棍，便吓得调转身子蹿入了茂密的林木里。豹子惊慌失措的样子，让韩雨田、李新生、马得草三人笑个不停，他们在欢乐的气氛中走进了一条猎人踏出来的小路。

没想到，路旁山崖后，突然跳出两个手握砍刀的劫匪，看相貌年龄不算太大，最多比他们仨大个五六岁。两个年轻劫匪擎着砍刀，堵在路中央，朝他们喊道："我们劫财不劫命，你们仨快快将手提箱和兜里的钱物放下，大爷给你们一条生路！"

两个劫匪以为三个少年会战战兢兢地放下手提箱或掏出兜里的钱物，逃命而去。没想到，打头的马得草猛地举起手里的长棍，喝道："小小鼠辈，竟敢打劫你马得草大爷！真是老寿星上吊，嫌命活得长啊！"

马得草举起长棍后，韩雨田和李新生也不甘示弱地紧随其后，朝着两个年轻的劫匪冲了上去。俩劫匪估摸是第一次做这种拦路抢劫的事，没想到遇上了三个不要命的少年，拉出了要与他们拼杀一番的架势。

他们手中握的砍刀虽然寒光闪闪，可在这空旷的山野里，却不见得比对方手中的长棍更具杀伤力，更何况两个人不占优势，真的打起来，二比三，鹿死谁手尚有悬念。五个人一方握刀，一方举棍，对峙了大约两分钟时间，年轻的劫匪突然胆怯起来，手里的砍刀明显地颤抖着。二人可能是迫于生活，还不具备上路打劫的能力，只是为了求财而不是索命，没想到遇到了比他们更年轻的愣头青，自然怯场退缩。

"哼——看你们几个衣衫破烂、面黄肌瘦的，也不像有大油水的货，我们哥俩就放你们一马吧！"

一个劫匪收起刀，扯着另一个劫匪的手臂，飞快地转身朝山崖后退去。

"哈哈哈——算你们识相，保住了一条小命！"马得草大笑起来。

韩雨田和李新生也憋不住为两个年轻劫匪的狼狈逃走而哈哈大笑。

向着太阳走

奔走、跋涉，终于到达了广西与越南交界的地方。三人站在一处山坡上眺望前路，心里充满无尽的喜悦。李新生满怀激情地夸赞韩雨田说："雨田兄，你真是高瞻远瞩啊！选择了这条路线，与第一次回国比较，我们至少少走了一个半月的冤枉路。"

马得草说："韩兄若没有这两下子，咱俩能跟着他上路吗？"

韩雨田笑道："谢二位的信任加抬举！咱们这次是红色之旅，与上次回国求学大不相同，有共产党和工农红军保佑，咱们一定会顺利到达延安的！"

李新生一挥手："路在脚下，走！"

三人大步流星地一直走到日头落山之后，才想起寻找落脚露宿的地方。不过，在这深山密林中，想找一处安全、妥善之处好比是痴人说梦。

暮色渐渐暗淡下来，大山里又升起了浓浓的雾霭，三个人不知道前面情况如何，停下脚步不敢再往前走。

李新生回头对韩雨田说："天完全黑下来了，咱们仨好比睁眼瞎一样，一旦有恶兽扑来，根本招架不住！"

韩雨田往四周撒目一圈，发现河岸边有一块一房高的硕大石头，石头上边很是平展，距地面有三米多高。

韩雨田指着石头说："真是天无绝人之路啊，咱们爬到那块石上睡一宿如何？"

马得草和李新生不约而同地瞅了瞅那块巨石，走上前一看，连连称好。三个人迅速搭肩挽臂，费了好大劲才爬到那块巨石上面，一看果真是一处能防能守的好地方。

马得草站在石头上正要赞赏一番时，突然看到不远处有十几束灯光，他高兴地对韩雨田和李新生说："你们看，前面有村庄！"

李新生抬头望去，果真有灯光闪现。

马得草对韩雨田说："韩兄，与其在此过夜，倒不如进村找个人家住下，一是讨点东西填肚皮，二是安安稳稳地睡个囫囵觉，省得轮班放哨了。"

韩雨田见李新生也有进村讨饭的意思，便手一扬说："那就进村找个人家住一宿吧！"

三个人以木棍为绳索，先把两个人顺到地上，两个人再搭肩把最后一个顺下来，一切都非常顺利。

他们三步并作两步，朝着灯光处走去。

走到山下，见一处用木桩搭就的门楼，门楼上悬挂着两个明亮的灯笼，门楼两侧还有几间木板房，不太大的窗户前还有微弱的灯光闪射出来。

三人兴高采烈地跑上前，又畅通无阻地走进门楼里。正准备往里走时，突然被一个高嗓门的大汉喊住："站住！"

随后，从木板房里蹿出十几个彪形大汉，手持片刀，将他们三个团团围住。片刻，从人堆里走出一个大个儿，上前对韩雨田三人大笑道："真是踏破铁鞋无觅处，得来全不费工夫啊！"说完一挥手，冲上几个人来将韩雨田三人绑了个结实，又蒙上了眼睛。

只听一人说："把他们送给大当家的处置吧！"

韩雨田一听到"大当家"三个字，就知道遇上了土匪，急忙对身边的马得草和李新生悄声说："不好，遇上土匪了！"

土匪听韩雨田说话，上去踢他一脚，吼道："不许说话！走！"

两个土匪分别架着一个人的胳臂，走了好长时间，才走进一个闻着有烟火味道、名字叫聚义厅的房子里。

几个土匪把韩雨田三人的眼蒙子摘掉，对坐在太师椅上的一位彪形大汉说："大当家的，托你的福！这三个不知死的家伙，竟然闯进了咱们的大门，请大当家的处置！"

大当家的一扬手说："搜一下，看身上有没有硬货再论。"

土匪们把韩雨田三人的内衣外裤扒了个精光，搜查完之后，报告大当家的说："大当家的有福！从他们三个身上搜出二百块大洋。"

大当家的坐在太师椅上耷拉着眼皮，听说搜出二百块大洋，立马睁大眼睛，挺直了身子，说："字匠！今晚儿，连夜给这三个肉票写好'海叶子'（信），明儿一早，派人送到肉票家里，三天之内不拿钱赎人，立马撕票。我穿山甲可不惯着他们。"

大当家的又慢条斯理地说："秧子房（关押肉票的屋子）掌柜的，把各种刑罚用起来，让肉票给家里捎信，早点把赎金送来。每个肉票拿多少大洋，由瞭水（侦察员）派人探听后定夺。"

秧子房掌柜上前拱手说："请大当家的放心！我是木匠打老婆，会拿捏好尺寸的。"

大当家"嗯"了一声，说："押下去！叫他们去见见阵势。"

韩雨田在广东的时候博览群书，对全国各地的土匪有些了解，他听出这伙土匪竟然是东北那边的人。

几个土匪上前押着韩雨田三人走出聚义厅。

走了一段弯弯曲曲的小路，他们被关进一间秧子房里，发现有二十多个肉票坐在地上围成一圈，一人手里拿着一个铃铛摇五下，再传给下一个。

一个肉票因困倦没接住上个人传来的铃铛，秧子房的土匪挥起马鞭就把肉票抽打了一顿，打得肉票鬼哭狼嚎。

土匪打完后，大喊："接着摇！"

肉票们又举起铃铛"当啷，当啷"一个传一个地摇起来。有两个肉票困乏得睁不开眼皮，一个劲儿打瞌睡。

土匪抱来一堆劈柴点上火，让肉票围着火堆坐一圈，把肉票们烤得脸面通红。有困乏的肉票一头栽倒火堆上，烧得"妈呀！"一声，立时坐起来，脸上被火燎成一片水泡。一个肉票倒在火堆上，被人拽起来时，脸上已烧得焦黑。

一个肉票央求土匪说："大哥，行行好吧，烤得实在受不了了，再换种办法行不？"

土匪哈哈大笑道："好哇！那就出去跑马吧！"

肉票们像是得了莫大恩赐一样，被几十个土匪押到跑马场上。土匪把他们拴在马套上,挥起马鞭,朝着马屁股狠狠抽了一下,那马便疯了一样绕着跑马场奔跑起来。有的肉票跑着跑着一头晕倒在地,被马拖着跑了几圈,衣服、裤子都被拖掉了……

韩雨田、马得草和李新生被几个土匪押着,让他们站在一边观看。三个人见此情景,浑身流着冷汗,心跳也在不断地加速。因饥饿和恐惧,浑身瑟瑟发抖。

韩雨田心里说:为了抗日,总不能"出师未捷身先死"啊!如果葬身于土匪手里,太不值了!

他开始思谋起一个又一个脱险的办法。

马得草和李新生心里也在琢磨,这次恐怕凶多吉少了。

韩雨田趁几个土匪不注意的机会,小声对左右的马得草和李新生说:"别怕,听我的!"

二十多个肉票被折腾到东方泛白,个个脚下无根,东倒西歪,脸上已经没有了气色,才被土匪们押回秧子房。这时字匠拿着写好的家信进来,对肉票们说:"俺把海叶子写好了,今儿头晌,花舌子派人往你们家里送,让你们家人快点把赎金送来,好接你们回家团圆。不然,你们的小命儿就没了!"

一个十多岁的肉票哭着说:"字匠大叔,就是砸锅卖铁,也要叫我爹把赎金张罗够,我实在扛不住了……"

顿时,屋里哭成了一片。

字匠点点头说:"好!谁想回家,就在海叶子上画押吧!"

随后,字匠把印泥盒子往桌子上"啪"地一拍。

几个肉票颤抖着手,在信纸上摁下了鲜红的手印。

土匪对摁手印的肉票说:"摁过手印的去吃饭吧!等家里把赎金送来,就可以回家了。"

韩雨田三人见几个画了押的肉票出去吃饭了,才想起自己的肚子已经一天一夜没进食了。

向着太阳走

字匠瞅瞅韩雨田三人问:"哎!你们为啥不画押呀?"

韩雨田上前一步说:"大哥,我们仨从越南西贡回国求学,盘缠和学费都被你们拿下了,还咋跟家里要钱啊?再者说,我们从西贡走到这儿两个半月,即使摁了押,还得两个半月才能把信送到西贡……"

字匠一拍桌子说:"少废话!不摁押,你们就等着饿死吧,下一个!"

又有两个肉票无精打采地走上前摁了押。

十几个没摁押的肉票围坐在地上,又开始传递起手里的铃铛。

字匠拿着没摁押的海叶子走出去半个多时辰,六个土匪从外面闯进来,对韩雨田三人吼道:"你们仨,出来!"

韩雨田三人被六个土匪分别架着胳膊,走过那段曲曲折折的小路,重新回到聚义厅。

大当家端坐在太师椅上,见韩雨田三人站定,抬起眼皮瞅他们一眼说:"你们是庄稼人吗?想到哪里求学?"

韩雨田有气无力地说:"大当家的,我们的老家在广东,逃亡到越南西贡已有三十多年。父母为了让我们学好四书五经,才东借西凑给我们张罗够盘缠和学费。为了省钱,一路上我们以采摘山上的野果和野菜充饥,从昨天晌午到现在……还没吃过饭呢!"

大当家的抬起眼皮,瞅瞅韩雨田三人,没吱声。

秧子房掌柜上前说:"不交赎金,还想吃饭?那你们就等着死吧!"

马得草天不怕地不怕地上前说:"死就死,反正我也不想活了!"

秧子房掌柜挥起马鞭,狠狠抽了马得草一鞭子,说:"妈的!你个不知死的小鬼,嫌死得慢了,是不?"

韩雨田见马得草挨了一马鞭,心里顿时燃起怒火,上前一步拱手说:"大当家的,自古以来,不甘受压迫的倔强之士,聚集苦难平民,占据大山峻岭,竖起替天行道之大旗,劫掠大户,扶弱抑强,成为万人景仰、妇孺皆知的绿林好汉。听你们的口音和说的话,应该是东三省那边的人吧?你们的家乡被日本人占领了吧？现在是国家遭难、民族危亡之关头，你们有枪有刀，当抗日救国才是啊！我们三人回国求学，也是为了抗日。眼下，我们身上所带银两已被你们拿走……大当家的，就请放我们一条生路吧！"

大当家的听了韩雨田的一番话，"腾"地从太师椅上站起来，哈哈大笑道："小子，你真是初生牛犊不怕虎啊！好，那我就成全了你们！"说完，又狠狠地一拍桌子，吼道："给我押下去叉了！"

韩雨田知道"叉了"是东北土匪的黑话，就是砍头或枪崩的意思。他奋力挣脱开左右土匪，上前大喊道："大当家的，堂堂男儿，不惧一死！可临死之前，请给一顿饱饭吧，我们不想当饿死鬼！"

土匪哪管你当不当饿死鬼？上前绑了韩雨田，随后将三人押出了聚义厅，关进了另一间秧子房里。

没想到过了不到一个时辰，有土匪端来一瓦盆烀好的野猪肉和几个苞谷饼子，放到地上说："吃吧！大当家的赏你们的，吃饱喝足，就送你们上路了。"

三个人已经饿急了，急忙抄起筷子，狼吞虎咽地吃起来。

李新生一边吃一边对韩雨田说："雨田兄，这是咱们最后一顿饭了，要把这盆肉全部吃光，一口别剩！"

马得草大口地嚼着肉说："报国不成身先死，填饱肚腩好做鬼。"

韩雨田说："别说丧气话！只要一刻不死，就有生还的希望。"

三人吃饱后，倚着墙根坐起来，韩雨田提议："不管后事如何，咱们三个先说说活了十七年的感想，不管是对父母、对学习还是对生活，把自己的心里话都抖搂出来……"

韩雨田的话还没说完，就有土匪把门打开，站在门口喝道："都出来！大当家的有令，立马送你们上路！"

韩雨田三人站起来，走到门外，见天色晴朗，日头已经升了两竿子高。

土匪把三人蒙上了眼睛，推推搡搡地把他们架到了一辆马车上。马车开始在山路上颠簸起来……

13

一言感动匪首　少年绝地逢生

马车拉着韩雨田三人和几个土匪一路奔驰,差不多跑了大半晌,只听赶车的土匪"吁!"了一声,马车慢慢停了下来。秧子房掌柜给三人解开蒙眼布,说:"小子们,下车吧!"

韩雨田三人的眼睛被蒙了几个时辰,在火热的阳光下一时还睁不开,蹲在地上待了好一会儿才适应过来。

秧子房掌柜上前对韩雨田说:"小子,多亏了你这张小嘴巴,把俺们大当家的说乐了,才放了你们仨一条小命。不然,就坐地把你们叉了。"

韩雨田听了这话,莫名其妙地问:"我说了啥话?"

秧子房掌柜说:"你称俺们绺子是绿林好汉,可说中了大当家的心思。又提到俺们东北老家被日本人侵占,大当家的念你们青春年少,是要回国求学打日本鬼子的,才破天荒放了你们三条性命。"

韩雨田正要拱手道谢时,只见远处飞来一匹烈马,马上之人不停地摇着马鞭,那样子十分飘逸和豪放。

那马跑到马车跟前,骑马人一勒缰绳,马的前蹄腾空,然后落地。大当家的跳下马,阔步走到韩雨田跟前,哈哈笑道:"小子,你在聚义厅说的那番话使我良心发现。我琢磨再三,放走了那些个肉票,还决定把你们的二百块大洋悉数奉还。"

说着,大当家的从马褡子里拿出一个布袋子,举起来抖着说:"请三位小兄弟当面清点，免得少了！"

韩雨田十分激动地接过布袋子，说："谢大当家的成全！晚辈叩谢了！"说着，拱手三拜。

马得草和李新生也照例三拜。

大当家的拱手还礼说："来日，三位小兄弟若飞黄腾达，也望给我和弟兄们寻条出路。"

韩雨田拱手说："大当家的，据我所知，日本鬼子已经打下北平了，不出一两年就会打到广西和云南。你应该拉起一支抗日队伍，与小鬼子拼杀一番，这才是光明正途。"

大当家的一拍巴掌，说："好！从今儿起，我就开始练兵，以便与鬼子决一死战！"

死里逃生、重获自由的三个人，走了一阵子来到了一处没有人烟的大河边，见日头尚足，便脱光了衣服跳进河里，洗了个痛快。

马得草说："先洗衣服，后搓身。把衣服晒在河滩上，洗完澡衣服也干了。"

韩雨田说："好！我们要从里到外，把身上的晦气全部洗掉，再重新向着太阳走！"

此时此刻，三个热血少年真的有了一种浴火重生的感觉。韩雨田大声喊道："我们要为理想战斗，为民族抗日牺牲！"

韩雨田激昂的呐喊，让马得草和李新生也热血沸腾起来。

他们跋山涉水，晓行夜宿，日子一天一天在激情燃烧中过去。出广西，穿贵州，入川东，所经之地，人烟也渐渐稠密起来，再也不必担心找不到吃的和住的地方了。

为了节省银元，他们不乘车、不雇轿，从早上走到天黑才找一户有余粮的农民或牧民家里住下，吃一顿晚饭和一顿早饭，再带上三天的干粮，韩雨田便付给对方半个银元作为补偿。

广西、贵州、四川等省份虽然处于敌后，但军阀连年混战，物价也与东北、华北、华东等战区一样突飞猛涨，法币贬值，金银抢手。从上到下，无论高官、富商还是普通民众，都喜欢银元而不待见纸币。韩雨田每付出一个银元，看到的都是欢天喜地的笑脸。

夏去秋来，秋去冬至。1937年11月15日，韩雨田三人终于到达了四川彭水县达子镇。天色将晚时，三人准备在达子镇寻一户宽裕一点的人家住下，然后再在镇里打几天短工，筹备一些食物和盘缠，继续北上。

达子镇比较繁华，中心街的两侧店铺林立，到了傍晚时分，客人稀少，店铺纷纷关门打烊。

韩雨田发现街道上竟然有三个招兵站，挂的招牌分别是国民革命军第三十一军、国民革命军川东独立二旅和湘西骑兵师。

他们进入四川境内后，途经县城和乡镇比较繁华的地方，都能看到一些打着五花八门的招牌和旗号的招兵站，吆喝着兵饷多、吃得好、穿得好等口号，引诱人入伍。

他们三人刚进入达子镇，就被街头正在收拾桌子、椅子和招牌的湘西骑兵师招兵站的一个大兵缠住了："哎哎哎——三位小兄弟，你们是结伴参军的吧！来，来，来，到我们湘西骑兵师当兵吧！我们湘西骑兵师师长是国民革命军最年轻的少将蔺无双！我们师的兵饷全国第一！加入了我们师，行军作战骑着高头大马，来去如风，挥起马刀，敌军的脑袋就像西瓜一样满地乱滚！"

另一个又说："加入我们师，整天吃香的喝辣的，打完仗，到后方随便逛窑子，慰问团的女学生随便玩！"

两个打着湘西骑兵师旗号的大兵口若悬河，唾沫迸溅地讲解着，用各种条件诱惑他们。

韩雨田和李新生没什么表示，倒是受尽跋山涉水折磨的马得草心有所动。不过，有韩雨田在，他也不敢自作主张，转头看看韩雨田，眼神中流露出对骑着高头大马驰骋疆场的向往。

既然参军抗日，杀敌报国，马得草并不在乎兵饷多少，吃什么穿什么。毕竟，他家里开着珠宝店，家财万贯，那点兵饷怎么会看在眼里？家里有钱，什么山珍海味没吃过，什么绫罗绸缎没穿过？至于逛窑子，马得草也没什么兴趣，他从小受生活作风正派的父亲影响，知道那些女人贪图的都是钱，没有什么感情可言。可那高头大马就不同了，骑在马上，挎着马刀，那可真是威风极了！

为了去延安，他们走了两个半月，不知吃了多少苦，遭了多少罪，遇到过多少次危险。可算起来，到达川东彭水县才走了一半的路程。马上就要入冬了，越往北走天气越冷，习惯了东南亚温暖气候的三个少年，还不知道寒冷是个什么滋味儿。

眼下，结束这次比唐僧取经也好不了多少的艰苦跋涉，到骑兵师当兵，骑着高头大马，挥舞着闪闪发光的马刀，怎么不让马得草动心呢？

韩雨田瞅瞅马得草，心里不免有些烦躁。这一路，韩雨田不知说过多少遍非共产党的队伍决不加入的话，可这个马得草的耳根子也太软了，对方说了几句不知真假的话，就把他的魂儿勾去了。从这两个招兵的人所言来看，这湘西骑兵师绝不是共产党领导的抗日队伍，韩雨田从没听说过共产党的军队可以随便逛窑子。

韩雨田想到这儿，瞪了马得草一眼，不卑不亢地对那两个招兵的说："长官，我们不是来报名参军的，我们是去彭水县路过这里的。"

听韩雨田拒绝了对方，李新生也跟着说："我们是华侨子弟，受父母之命，从越南海防市到彭水县转学中国古典文化。"

马得草知道韩雨田不会轻易改变去延安的主张，他刚才也是脑子一热才动了心思。见李新生毫不犹豫地表了态，也立马附和："是啊，是啊！我们是去彭水县求学的。"

这时，中央国民革命军三十一军的三个招兵的也跑了过来，一人扯住一个，扯着韩雨田三人去他们那里登记报名，嘴里也是舌绽莲花，许诺各种好处。湘西骑兵师的两个招兵的不让了，与三十一军的三个招兵的吵了起来，说这三人本来是投奔骑兵师的，你们怎么动手抢人呢？吵嘴没吵出结果，五个大兵便骂骂咧咧地撕打成一团。

韩雨田给马得草和李新生使了个眼色，三人转身跑向了一条胡同。

胡同的尽头，是一座前后三进房、耳房和东西厢房都有的大宅院。快三个月了，韩雨田他们还从未见过这么气派的住宅。他们经常夜宿山洞、崖底或破败的寺庙，最好的住宿就是牧民家的帐篷和农民家的茅草房了。

面对彭水县达子镇上的这座豪宅，平时喜欢享受的马得草又动了心思。他站在那里，一边探头竖脑地朝大门里看，一边对韩雨田说："咱们今晚就在这个大户人家里借一宿吧？"

李新生瞅瞅韩雨田，也拐弯抹角地说："哎呀！我都快三个月没舒舒服服地躺在大床上睡一觉了！"

他们毕竟是含着金汤匙出生在富贵人家的少爷，从小锦衣玉食享受惯了，靠着一腔爱国热情和抗日救国的信念，才受苦受难地坚持了三个月……

韩雨田听了他俩的话，皱了皱眉头说："我们回国抗日，是为了劳苦大众，而不是为了自己享乐。要参加革命，参加共产党的抗日队伍，就必须在艰苦环境中磨炼意志，彻底告别富家阔少的身份。在那个山洞前，我们不是喊过了吗？邹文岳死了，马德宝死了，李希诺也死了，现在活着的是韩雨田！是马得草！是李新生！再说了，这样的人家条件好，借宿费肯定是很高的。"

马得草反驳说："雨田兄，一路上咱们吃了多少苦，受了多少罪，早就把革命意志磨炼好了。今晚权当放我们一个假，在这样的大房子里享受享受吧！你说抗日消灭倭寇，把日本人赶出中国去，不也是为了过上幸福生活嘛！"

刚才韩雨田不让两位同学参加湘西骑兵师，马得草还能够理解，毕竟那不是共产党领导的抗日队伍。可现在借个宿还不让住进这样的宅院里，那就是跟好友过不去了。

李新生也帮着马得草说服韩雨田："雨田兄，天快黑了，说不定，人家家大业大，根本不在乎我们的借宿钱，还会免费管着我们吃喝呢！"

韩雨田想，自己若是再坚持下去，就会影响三个人的团结。再说豪门大院的人，怎么能够留三个乞丐样的年轻人住宿呢？想到这儿，韩雨田笑了笑说："好吧！既然你俩都想进这家借宿，那我们就试试吧！只怕人家看我们蓬头垢面、破衣烂衫的样子，不让进门呢！"

三人踏着青石台阶，来到朱红色的大门前。

韩雨田轻轻拍了拍黄色的铜门环。

"谁呀？"一个穿着粗布衣衫、年龄大概在二十左右的黑壮青年闻声拽开大门，瞅瞅他们三人，"你们——找谁啊？"

韩雨田向黑壮青年鞠了一躬，恭声道："大哥，我们三人从越南回到家乡求学，路经此地，天色晚了，想在您家借一宿。"

黑壮青年上下打量韩雨田三人，皱了皱眉头说："镇子上有两家客栈，你们去那里住吧！"

李新生急忙上前央求道："大哥，我们手头拮据，住不起客栈啊！希望您高抬贵手，将就一下，让我们住一晚吧？"

韩雨田见黑壮青年穿着粗布衣衫，断定他是看家护院的，自家也有一个和黑壮青年一样行头的看门人。这黑壮青年不是大宅院的主人，是做不了主的。

黑壮青年有些不耐烦地摆摆手，刚要说推辞的话，就听大门里面传来一个底气十足的声音："小黑，外面是什么人啊？"

小黑转回身去，向那位六十来岁的长者微微鞠了一躬，恭敬回道："老爷，有三个小乞丐，想到我们家借宿。"

这个小黑见韩雨田三人的穿戴，果真把他们当成了乞丐。确实，三个月时间，风里来雨里去，翻山越岭，别说马得草和李新生那套校服早已破烂不堪，就连韩雨田那两套衣服换着穿，也都脏污不堪，难辨原本的颜色。

小黑的话音刚落，那位老者就提着一根紫红色龙头拐杖走到大门前。这位老者身材高大，器宇轩昂，头发虽然有些斑白，却满面红光。他手中的紫红色龙头拐杖，不像是用来支撑身体、助他行走的，倒像是一件装饰品或者随身携带的武器。

见到老者，韩雨田急忙上前抱拳鞠躬，开口问候"伯伯好！"

马得草和李新生也被这气宇不凡的老者镇住了，紧随韩雨田之后，抱拳向那位老者鞠躬行礼。

邹家、马家、李家虽然侨居越南三十多年，可三家人一直恪守中华民族的风俗习惯。家里的孩子，无论男女，从小就接受汉文化，不但国语说得好，祖国的各种礼仪习俗也都烂熟于心。面对大宅院里的主人，韩雨田和马得草、李新生表现出了十足的大家子弟的姿态。

老者先是一愣，接着仔细打量三人后，笑逐颜开道："原来是三位才俊啊！里面请，里面请！"

说完，老者扭头朝小黑喝道："还愣着干什么？快去让刘妈备茶！"

这老者显然来历不凡，见多识广，只打量了韩雨田三人一眼，就判断出他们出自富贵之家，知书达礼，哪里是什么小乞丐，分明是三个青年才俊嘛！

随后，三人跟随老者步入了大宅院。走进第一进房的客厅，韩雨田看到里面摆设的全是黄花梨家具和青花瓷、古画，头顶上的吊灯黄澄澄的，造型华丽，分外耀眼。不看别处，只看这金碧辉煌的客厅，就知道这老者不是一般的土财主。

老者将韩雨田、马得草和李新生让在厅北正中的八仙桌前坐下，一位中年女佣人端着茶盘送上茶来。

老者一边请韩雨田三人品茶，一边自我介绍说："老朽姓邢，开耳邢，名泰蜀。敢问三位高姓大名，家居何方？"

韩雨田见老者一身豪气，坦坦荡荡，也没加掩饰，站起身又一鞠躬，说："邢伯伯，我姓韩，名雨田。家父是旅居越南海防市的华侨。"

说完，韩雨田又指着马得草和李新生说："他们俩是我的同学，他叫马得草，他叫李新生，也是华侨子弟，我们三人是从越南海防市一路走来的。"

韩雨田落落大方地介绍完之后，邢泰蜀更加喜形于色，就像捡到了宝贝一般，满脸笑意道："不错！不错！看你们的言行举止，就猜到了你们不是普通百姓家的儿郎。越南海防市我知道，在那里生活的华人经商的多。看得出你们三人的家庭也是非富即贵啊！"

韩雨田笑笑也没辩白。邢泰蜀貌似闲聊道："不知三位千里迢迢，从越南海防市来到川东这贫瘠之地，有何贵干？"

马得草和李新生同时看着韩雨田，不知如何回复邢泰蜀的问询。韩雨田笑了笑，说："邢伯伯，不瞒您说，我们三个是从家里逃出来的，为的是参军打日本，报效祖国。"

"啊！？"邢泰蜀先是一愣，旋即脸色又恢复了正常，再次呵呵笑道："好——国家兴亡，匹夫有责！国难当头，忠字第一！三位才俊深明大义，虽然瞒着父母逃出家门，但为了抗日，也可理解！对三位的义举，老朽十分敬仰！"

邢泰蜀的话，让韩雨田三人一扫刚进门时的拘谨，随即便与他围绕着抗日的话题展开了亲切交谈。

邢泰蜀问韩雨田："你们三人准备投奔哪支队伍？"

韩雨田搓着手，不知如何回答才好，只能拱手说："我们刚到国内，很多情况还不了解，请前辈指教！"

邢泰蜀思忖片刻说："现在全国各地有许多武装力量，都打着抗日的旗号招兵买马，扩大自己的势力。三位才俊切要擦亮眼睛，辨别清楚，别被各地的军阀乃至土匪骗去。"

韩雨田越发看清了邢泰蜀是一个深明大义、正直爱国的老人，所以他也没再忌讳："我们回国之前，已经确定奔赴延安，参加共产党领导下的抗日队伍。中国共产党才是中华民族抗击日寇的英明领导者，也是我们的不二选择。"

韩雨田还对邢泰蜀说："一路上，我们多次遇到招兵的，都一一拒绝了他们。从一开始，我们的目的就是延安，现在依然如故。"

邢泰蜀听后，先是沉默了一会儿，接着摇了摇头说："老朽以为，你们还是加入国军比较好，毕竟国军是正牌的国家军队，也是最主要的抗日队伍。"

邢泰蜀之所以这样劝说韩雨田三人也是有原因的。他在告老还乡之前，曾是国民政府四川省的要员，也是国民党在川东的骨干分子。虽然现在离职还乡了，但他对国民党依然忠心耿耿。

韩雨田不为邢泰蜀的话所动，不卑不亢地坚持奔赴延安的初心。邢泰蜀见无法劝说他们改变计划，便绕开了这个话题，转而谈起时事要闻。

韩雨田发现客厅里有一台像他家一样的收音机，便指着收音机问："邢伯伯，您平日里常听收音机里的新闻吧！可否给我们讲讲国内的局势？途中三个月，我们几乎与世隔绝，国家大事难以得知，对当前中日两国战争形势脑中也是一团迷雾。"

邢泰蜀听后神色一暗，叹口气说："7月底日军先后占领了平津。自那以后，日军兵分两路，想在三个月内灭我中华。8月13日开始进攻上海，淞沪保卫战打响，我方守军打得非常惨烈。"

韩雨田点点头，连声说："邢伯伯，我们是8月15日离开越南海防市的，之前的新闻大都听过。"

邢泰蜀接着说："最近几个月的最大新闻就是淞沪保卫战失败了，大上海失陷了。"

"啊？！上海也失陷了！"

韩雨田、马得草和李新生三人异口同声惊愕道。

在他们决定回国奔赴延安时，淞沪保卫战已经打响了，他们难以相信，国军投入了七十多万兵力，最终还是没能保住中国的第一大城市上海。

邢泰蜀叹口气接着说："上海是在大前天沦陷的。之前的9月24日，河北省会保定失陷。10月26日，日军攻陷了娘子关。11月9日，山西省会太原失守……唉！这个月月初，日军在杭州湾的金山卫登陆，上海腹背受敌……"

听到邢泰蜀介绍的战事情况，三人的脸色变得越来越难看，心情也特别沉重。

邢泰蜀见此，又安慰他们说："虽然新闻里每天都在报道坏消息，不过，我这里还有一些好消息。"

邢泰蜀见韩雨田三人眼巴巴地盯着他，继续说道："这几个月最好的消息就是国共两党实现了第二次合作。8月25日，根据国共两党协议，红军改编为国民革命军第八路军，朱德任总指挥，彭德怀任副总指挥。10月，红军长征后留下的南方八省游击队改编为国民革命军陆军新编第四军。8月下旬，朱德和彭德怀率领八路军主力三个师奔赴山西抗日前线。9月22日，国民党中央通讯社公布了中共中央7月15日提交给国民党的《中共中央为公布国共合作宣言》。9月23日，蒋委员长发表谈话，承认了中国共产党的合法地位。国共两党再次合作，抗日民族统一战线也由此形成。9月25日，八路军第115师首战平型关告捷。八路军在山西大同灵丘县平型关附近，由115师师长林彪、副师长聂荣臻率领所部，根据中共中央军委的指示临危出征，与日本号称"钢军"的板垣征四郎第5师团所属第21旅团一部及辎重车队浴血拼杀，取得了首战胜利，有力配合了阎锡山负责的第二战区正面战场的防御作战，迟滞了日军的战略进攻，打乱了敌人沿平绥铁路右翼迂回华北的计划，这是八路军出师以来打的第一个大胜仗……"

韩雨田听到共产党领导下的红军分别改编成八路军和新四军，而八路军奔赴抗日前线取得了首战大捷，更加坚定了他奔赴延安、参加共产党抗日队伍的决心。因为在广东读书时遇到的那些事已经深深地刻在了他的心中，使得他对国民党军队特别失望，根本就不相信他们会战胜强大的日本帝国主义军队。

邢泰蜀一边对韩雨田三人说着这几个月来的抗日新闻，一边站起身来，走到收音机前打开按钮。一阵滋啦滋啦的噪音过后，传来了女播音员的声音。女播音员正在评论发生在当日的一件大事：国军为了阻止和延缓日军进攻，炸毁了津浦铁路黄河大桥。接着，女播音员又评论起淞沪保卫战，说：淞沪保卫战的意义非常重大，它为国民政府争取到了喘息之机。三个月来，大批重要装备和物资得以撤出战区运输到大后方，这有利于国民政府保持正常运转，继续指挥全国抗战。

向着太阳走

不知不觉屋里的光线已暗淡下来,邢泰蜀吩咐小黑通知刘妈准备晚饭,并嘱咐把家里好吃的都拿出来,做得丰盛一些。

在小黑走出客厅时,邢泰蜀又快步追上他,附耳说了几句。小黑一愣,扭头看了看韩雨田三人,随即点点头,脸上露出诡秘之色。

小黑走后,邢泰蜀重新回到太师椅上坐下,平息一下心情,笑眯眯地对韩雨田三人说:"今天晚上,你们在老朽家要吃好、喝好、休息好,养足了精神,明天好……"

这时,大吊灯突然亮了,客厅霎时金碧辉煌。小黑十分麻利地端上茅台酒、花雕米酒、法国葡萄酒,用鸡、鸭、鱼肉等材料精心烹饪的川菜、家常小菜,等等。很快形状各异、花色多样的碗筷杯碟,摆满了黄花梨木材质的八仙桌。

韩雨田三人看着这桌丰盛的晚餐,个个垂涎欲滴,这也难怪他们。三个月来他们风餐露宿,多数时候连肚子都难填饱,更别说鸡鸭鱼肉、山珍海味了。

邢泰蜀也掩藏不住内心的喜悦,脸庞涌上笑意,作了个"请"的手势道:"三位公子,请上桌吧!"

日本侵华战争全面爆发后,各地的富豪商贾纷纷跑路,有全家迁移国外的,也有跑到后方大城市的,如成都、重庆、昆明、贵阳、南宁。

邢泰蜀的老家在川东地区,属于大后方,稳若泰山,不用像其他靠近战区的富豪那样被迫背井离乡,这不得不叫韩雨田生出些许疑虑。

酒席间,邢泰蜀说:"委员长很是大度!在外敌入侵的情况下,为了拯救中华民族毅然决定第二次和共产党合作,国内外爱国人士也起了巨大作用。现在内战十年的国共两党终于坐在了谈判桌上,达成了抗日统一战线的协议。"

他心里却在想:目前,国共表面上是合作了,但并没有冰释前嫌。双方心里都明白,赶走了日本人,两党谁拥有人才谁就抢占了先机。所以,国共两党都使出了浑身解数,争夺那些有心加入抗日队伍的青年才俊。俗话说,战乱年代出英杰,如果现在与韩雨田三位交好,他们日后在抗战中功成名就,也就壮大了自己的社会关系网。

因此，邢泰蜀不断劝说韩雨田三人加入国军，或直接去国民政府任职。

他还一再强调说，到前方打仗是抗日，在后方效力同样是抗日，只是分工不同而已。

无奈韩雨田坚持去延安参加共产党领导下的抗日队伍。

不露声色的邢泰蜀嘿嘿一笑，只好开始实施他的第二个计划……

14

青涩豆蔻年华　难得老谋深算

　　第二天早晨，韩雨田和马得草、李新生离开了邢家，走出了达子镇。他们走了不到几里路，便听到后面传来"哒哒哒"的马蹄声。三人回头一看，只见十几个当兵的，骑着一水的高头大马疾驰而来。

　　韩雨田三人还没明白怎么回事儿，马队已经将他们团团围住。其中一人翻身下马，走到韩雨田三人跟前，喝问："你们是干什么的？"

　　韩雨田和马得草、李新生三人被这突如其来的情况弄得不知所措，站在那儿不知如何回答才好。过了片刻，马得草握紧拳头上前一步，正要开口说话，却被抢先一步的韩雨田拦住，他上前拱手对那军官说："我们是去西安求学的，路经这里。"

　　这时，一辆吉普车开过来停在马队一边，只见从吉普车上下来两人，其中一人对韩雨田三人说："上车吧，免得麻烦！"

　　马得草冲上前喊："凭什么上车？"

　　韩雨田见几个当兵的冲上来要对马得草动手，心里顿时明白了。他知道行踪已经被邢泰蜀告发，想跟他们争辩已经无济于事，只好把马得草拽到一边说："听我的，上车吧！"

　　韩雨田不想跟那些当兵的争辩，便拽着马得草和李新生乖乖地上了吉普车。

　　吉普车掉过头后，一溜烟向前开去。跑了半个多时辰，开进一个山高林密的大山沟里，拐了几个弯儿才停在一座大楼前。

两个军官模样的人，把他们带进一间询问室，让他们站在地当央。俩军官坐在桌子前，开始了正言厉色的询问。

韩雨田三人如实通报了姓名、身份和来处。

军官又问："你们想去哪里？"

韩雨田觉得这时候再对当兵的隐瞒已经不能自圆其说，甚至会招致杀身之祸，倒不如变个方式应对他们。

想到这儿，他慢条斯理地说道："起初，我们铁了心地想去延安投靠八路军，抗倭杀敌。昨天晚上邢泰蜀老先生一再规劝我们参加国军。因为我们年幼无知，从越南刚刚回国，也不了解国内情况，还一直坚持去延安。今天早晨从邢泰蜀老先生家出来后，我们三个一合计，觉得还是应该参加国军，一来军饷高，二来枪炮好……我们仨最喜欢上战场打日本鬼子了，所以，才从越南跑回祖国的。"

那军官听完韩雨田的话，脸上露出一丝笑意，说："识时务者为俊杰！凭你们仨的学历，在国军当差会有很大的发展前途。当然，让你们上战场打仗是不可能的，上司会让你们发挥更大的作用。譬如，给军座当秘书，到电信科当情报员，等等。这些差事对一般人来说可望而不可即，因为你们命好，学历又高，又赶上有了空缺。"

马得草和李新生面面相觑，两人似乎在说，韩雨田这家伙真是了得！原想到了国军的地盘，就等于入了虎口，必死无疑。没想到，靠他的三寸不烂之舌和机智应变，不但没有任何闪失，还能被国军安排到这么好的岗位上，这不是因祸得福又是什么？

那军官又说："你们仨听好了！倘若不效忠党国，身在曹营心在汉，一旦发现，你们是要吃苦头的。"

韩雨田连忙回答道："长官，我们也不知道怎么做合适，一切听您安排。只要把我们仨安排在一块儿就好。"

那军官说："先到重庆陆校学习三个月，到军校里可以在一起学习，学完之后，怎么安排就不好说了。"

韩雨田心里想：还能等学完之后？用不了一个月，我们仨就跑到延安去了。

韩雨田三人在军营里住下后，又议论起当下的处境和日后的打算。三个人各执一词。

马得草的主张是，甭管国军还是共军，只要是打日本鬼子的军队，不妨就跟着他们干。

李新生的主张是随遇而安，少折腾，早点落脚，好给家里写封平安信，省得父母挂念。

只有韩雨田依然坚持去延安。他的理由是：我们跋山涉水，出生入死走了三个多月，初衷是投奔延安。现在还没到达目的地，就半途而废投奔了国军——别说做个无产阶级革命者，就连做人都不够，还怎么回越南面见那些老同学呢？

马得草和李新生互相瞅了一眼，低下脑袋寻思了一会儿，觉得韩雨田说的似乎有些道理。虽说心里不同意他的说法，但在大是大非面前，自己又没有足够的理由和智慧反驳韩雨田，那就只好认怂。

马得草慢慢抬起头，瞅瞅李新生说："新生，脑袋掉了碗大的疤！该死该活，咱俩就听雨田兄的吧！"

李新生"嗯"一声，就坡下驴道："就咱俩的脑瓜，笨得像头猪。不听雨田兄的，人家把咱俩卖了，还得帮着人家数钱。再者说，我们一起从越南回国的，如果各奔东西，从情理上也说不过去。"

韩雨田趁热打铁，说："如果你们听我的，不出半个月，咱们仨保准安全脱身，一起奔向延安。"

马得草和李新生异口同声道："好，一切听你的！"

韩雨田笑笑说："也不一定啥都听我的。咱们仨谁说得对就听谁的。俗话说得好，'三个臭皮匠，顶个诸葛亮'嘛。"

三人大笑。

15

雨中雄鹰展翼　路歧难阻前行

　　第二天吃过早饭，韩雨田三人就被送到了重庆陆军军校。所谓的军校，其实就是一个短期培训班。全天的课程有反共教育、军事训练、实战演习和谍报培训等。

　　韩雨田在学习和训练中很是刻苦，他给教官的印象也是脚踏实地、学习认真、训练有素。可背地里，他却一直琢磨怎样尽快逃离国统区的事儿。

　　在实战演练中，教官带他们到野外训练，韩雨田便利用训练间隙，与马得草和李新生研究地形、地貌和逃跑路线。因国军戒备森严，岗哨林立，逃跑成功的几率实在太小，危险也太大。如果逃跑途中被国军抓回去，关几天禁闭、挨几次打骂事小，暴露了奔赴延安的行动计划才是大事。

　　韩雨田决定，利用下午训练结束，趁着日落黄昏返回军营的途中实施逃跑行动。马得草和李新生也赞同韩雨田的想法。

　　一天，他们三人利用训练间隙，趁着上厕所的机会，跑到训练场一个无人涉足的地方，把剩下的银元埋在一棵大松树下。韩雨田说，整天带着它们不方便，埋在这里等逃跑时再来取走，省得哗啦哗啦的叫长官发现给没收了。

　　三人把银元埋好后，又向四周张望了一下。在这片树林里，唯有这棵松树长得最粗、最高、最显眼。

　　韩雨田说："这棵松树，十天前我就看好了……"

　　三天后的一个傍晚，几百名官兵在野外训练时，突然下起大雨。教官下达了撤离训练场的命令后，官兵们像兔子一样往山下的军营里跑去。

韩雨田故意落在后面，回头把马得草和李新生拽住，二人心领神会，转身跟着韩雨田朝着相反的山林跑去。

马得草一边跑一边连声道："好！天助我也！"

三人冒着瓢泼大雨，跑到那棵大松树下，把银元挖出来分别装进兜里，又继续朝大山里跑去。

他们跟头把式地一口气跑到深夜，终于发现一个小码头。上前一看，正好有位五十多岁的船夫，正坐在小船里候客。三人没说二话，一起跳上了小船。

韩雨田递给船夫一块银元，说："大爷，把我们送到河对岸。"

船夫见到大洋，连连说好，随后解下缆绳，迅速朝河对岸划去。

不到一袋烟的工夫，小船划到了对岸。三人怕出意外，还像以前一样，专门选择偏僻的路线和荒山野岭徒步前行。

先是出四川，入陕西，过安康，再绕商洛，穿渭南……

延安，像是在大海里航行中的一座灯塔，在韩雨田三人的心里闪闪发光，指引他们不断地靠近再靠近。

他们累了就歇一歇，攒攒力气。双脚打起血泡，就用竹签挑破，互相搀扶着往前走。

三人日出而行，日落而息，依旧是风餐露宿，依旧是跋山涉水。一天天，一夜夜，一直走到了春节。

过年了，有人烟的地方鞭炮声响作一片，大红对联映入他们的眼帘。为了赶路，三人一刻也没舍得停下脚步。

一路上，韩雨田不止一次说，参加共产党领导下的抗日队伍，才是鼓舞我们坚强意志的动力。

从越南出发三个多月后的1938年2月21日，韩雨田、马得草、李新生三人终于踏上了陕甘宁边区的土地。沿途所见，中国共产党领导下的陕甘宁边区一片民主、和谐的景象，干部与老百姓融为一体，军队和人民相拥相爱，边区人民的生活丰富多彩。

途中，他们一边打听延安，一边快步疾行。不到十天光景，终于到达了魂牵梦绕的延安。

三人站在一排窑洞前大喊："延安！我们终于来到了您的怀抱！"

李新生对马得草感慨道："若是没有雨田兄的一次又一次坚持，咱俩恐怕早就走到邪路上去了。"

马得草说："这就是格局！雨田兄是一个有大格局、大方向的人。不然，咱俩能从头到尾走向延安吗？"

韩雨田摇头笑道："二位贤弟，若是没有你俩的陪伴，我早就被饿狼吃掉了。常言说得好，一个好汉三个帮，少了哪一个都没有我们仨的今天。"

三人感慨了一番，脸上露出了从未有过的成就感和幸福感。

在延安，韩雨田看到了人生中最美好的景象，第一次感受到了革命圣地的美好。人，是那样的亲！草，是那样的绿！阳光，是那样的明媚！

在这里，有无限的可能发生。你可以申请去唱歌、去演戏、去劳动、去学习、去写诗、去前线参战、去跟首长聊天。

延安是生长正能量的地方，是拥有理想、民主与和谐的地方。那一抹振奋人心的中国红，光彩夺目，令人心潮澎湃。

每天有大量像韩雨田他们一样的青年学子，不断地从祖国的四面八方涌来，到延安后就像江河里畅游的鱼儿，欢快、潇洒……

韩雨田三人激动得不能自抑，那种伴随了他们一路的孤单和艰辛一扫而光。走吧！去枣园、去杨家岭、去延河水畔走一走，去宝塔山亲近一下闪耀着真理光芒的思想。

抓一把延安的泥土揣在胸口，掬一捧延河水，再滋润一下骨子里的执着和坚强。苦难的中国，用铁锤砸碎黑暗，用镰刀收获光明，用坚贞不屈的力量奏出了抗日救亡的最强音。

中共中央在延安设立了很多接待点，有专门的政府工作人员和八路军官兵负责迎接和安排奔赴延安的知识青年。

韩雨田三人也同来自全国的热血青年一样，受到了热情的欢迎和接待。

当韩雨田三人把省吃俭用后在内衣兜里磨得锃亮发光的一百九十块银元交给接待站的负责人时，整个接待站都沸腾起来。

虽然国共两党已经实现了第二次合作，陕甘宁边区也成为中华民国的一个合法特区，但是经过之前国民党军队与陕甘宁一带的军阀多年的封锁和攻伐，整个边区经济十分落后，各种物资十分匮乏，人民生活十分困苦。一百九十块银元当是一笔不菲的财富。

接待站的杨站长双手握着韩雨田的手使劲晃动着，他兴奋地说："没想到！真没想到啊！你们不但千里迢迢来到延安参加抗日救国队伍，还带来了这么多银元。我代表组织，向你们表示深深的感谢！"

杨站长又说："我马上把这些银元交到边区政府，并向上级报请，对你们三位予以嘉奖！"

马得草上前说："长官，这一百九十块银元是韩雨田自己的，与我俩无关。要表彰就表彰韩雨田一个人吧！"

杨站长笑了笑，纠正说："得草，在共产党的队伍里官兵一致，没有长官、大人之说，都是革命同志，今后不能称'长官'的。"

韩雨田见马得草伸了伸舌头，笑道："钱，确实是我从家里带来的。但一路上我们三人省吃俭用，为的是省下来交给延安的抗日队伍，得草和新生跟着我吃了很多苦。"

马得草和李新生又跟韩雨田争讲起来……

毫无疑问，韩雨田三人已经受到了官兵的关注和器重。

在接待站安顿下来后，他们就和前后到达的二十多名各地青年接受了身体检查和知识测试。

知识测试分成四个组——小学组、初中组、高中组、大学组。填表登记时，韩雨田和李新生写的是高中学历，而马得草填写的是初中学历。

马得草的做法让韩雨田和李新生疑惑不解，于是问马得草："在革命队伍里不该瞒报真实学历，你为啥填初中学历呢？"

马得草苦着脸对韩雨田说："你又不是不知道，我在学校里的成绩从来都是下游，哪里有高中学历水平？填写中学学历已经很高了。"

韩雨田听了马得草的解释，不免语塞。

原来，马得草听说接待站按照大家的学历和真实水平分配单位，他希望分配到一个适合自己真实水平的单位，才断然报了个初中学历。

马得草如愿以偿地分配到了八路军总部下设的一所专门培训战地护士的学校，而韩雨田和李新生却作为重点培养对象，被选送到了陕北公学。

陕北公学是中国共产党在抗日战争初期创办的一所具有抗日统一战线性质的干部学校，专门培养军队和地方干部。

全国性抗日战争爆发后，大批爱国青年从全国各地来到革命圣地延安，一所抗大已经不能满足需要。为了把大批爱国青年培养成优秀的抗战干部，1937年7月底，中共中央决定创办一所新的学校——陕北公学。原本叫陕北大学，因国民党政府以陕北已经有一所抗日军政大学为由不予核准，才改名为陕北公学，人们简称"陕公"。

陕北公学由林伯渠、吴玉章、董必武、徐特立、张云逸、成仿吾等人筹办，成仿吾任陕北公学党委书记兼校长。8月，陕北公学开始招收全国各地及海外华侨青年入学。第一期学员有五个班三百多人，有共产党员也有国民党员，有工人也有农民，有汉族也有少数民族，有红军也有国民党统治区的干部，有十五六岁的青年，也有年过半百的老人。

韩雨田和李新生，将要进入的就是这样的一所学校。

一位叫李蕴章的政治教员对韩雨田说，成仿吾校长十三岁到日本求学，发动革命组织和同盟会员进行对敌斗争。后来，他放弃学工改学文艺，走上了文艺革新道路，以启发人民群众的觉悟。他和郭沫若、郁达夫等人组织了创造社，创作了大量文艺作品。后来他到了中央苏区工作，并参加了万里长征。红军长

向着太阳走

征到达陕北后，他受中央委托，创办了党的第一所高等学校——陕北公学。他重视人才，邀请国内知名学者任教，并开设了抗战服务课程，组织学生参加社会实践，增长才干。

李蕴章说，日寇"大扫荡"时，成仿吾校长亲自把专家教授安排在"坚壁"地点，每隔几日便骑马前往分散隐蔽的师生住处送银元，叮嘱学生注意安全，不要扰民。他爱学生如子女，和学生一起上早操，一起参加讨论。到了夜晚，总忘不了到学生宿舍去转一转看一看，嘘寒问暖，学生称他为"我们的成妈妈！"

韩雨田不但对成仿吾校长的革命生涯有了初步了解，也对共产党领导下的革命队伍有了进一步的认识。

分配方向确定后，韩雨田和李新生恋恋不舍地送别马得草，三个人紧紧拥抱在一起，互相拍打着肩膀，大声喊着——革命！革命！抗日！抗日！向着太阳走！向着太阳走！兴奋之情溢于言表。

韩雨田叮嘱马得草好好照顾自己，好好学习战地救护知识，无论是上战场还是在后方都要以革命为重，以人民为重。

李新生用拳头捅捅马得草的腰眼儿，悄声道："马得草啊马得草，不知你前世积了什么德，这辈子还能当上白衣战士。"

马得草嘿嘿一笑，嘱咐李新生说："雨田兄少年老成，知书明理，你要好好向他学习，将来也熬上个一官半职，我好跟你沾点光。"

韩雨田摇着头说："国难当头，重任在肩，参加革命是为了解放劳苦大众，那些沾光、求情的思想都应该抛弃。"

马得草说："雨田兄，开个玩笑而已。若为革命故，私心皆可抛嘛！"

韩雨田被马得草的话逗笑了。

16

毛公礼物二件　伴其奋斗一生

经过边区政府教育局设立的学前班培训后,韩雨田和李新生作为第二期学员,被送到了陕北公学。

他们俩被分在两个分队,自此两人相处的时间少了一些。但学校组织集体活动时,他们时常也能见上一面,聊一聊各自的学习和生活情况。

1938年3月15日是他们入学的第一天。校领导召开了学员大会,当众宣布了边区政府的嘉奖令,对韩雨田献出一百九十块银元进行了表扬,并奖励了一支德国进口的金尖钢笔。同时还宣布,韩雨田担任第三分队副队长。

陕北公学将学员编制成区队和分队,并按照军事化要求,以学校为营,区队为连,分队为排。分队副队长就是副排长,这对刚刚参加革命的新学员来说,是一个非常光荣的职务,因为各个分队的队长和副队长一般都是老革命。韩雨田所在分队的队长名叫石果,他1929年参军,是一位年仅二十六岁的老红军。

陕北公学分为普通班和高级研究班。普通班学习期限为三个月,高级研究班为一年。学习内容为七分政治课、三分军事课。课程设有政治经济学、中国革命问题、哲学、社会科学概论、军事知识。上午上大课,没有课本,没有讲义,一般是教员在台上讲,学员在下面听、记。下午讨论、自习、阅读、做笔记。

业余生活丰富多彩,各分队经常举办球类比赛、军事演习。每周定期举办大型文娱晚会,参加活动的不下千人。此外,学校还组织学员到附近的山岭开

向着太阳走

荒种地，生产粮食和蔬菜。

学校的生活很艰苦，除了麦面、蔬菜、粮油由公家供应外，每人按月发给少量生活补贴。标准是学员一元，干部一元五角，教员五元。

十八岁的韩雨田入学第一天，就得到了学校的嘉奖和被委任为分队副队长，在新学员中特别引人注目。每天上课之前，由他带领分队学员齐唱由校长成仿吾作词、音乐先驱吕骥作曲的陕北公学校歌：

> 这儿是我们祖先发祥之地，
> 今天我们又在这儿团聚，
> 民族的命运全担在我们双肩。
> 抗日救亡要我们加倍努力，
> 忠诚团结，紧张活泼，战斗的学习。
> 努力！努力！
> 争取国防教育的模范，
> 努力！努力！
> 锻炼成抗战的骨干。
> 我们要忠实于民族解放事业，
> 我们献身于新社会的建设，
> 昂头看那边，
> 胜利就在前面！

1938年4月1日，陕北公学第二期学员开学典礼隆重举行。之前，韩雨田看到教员们特别兴奋，就像要当新郎官一样。

那天一大早，校领导和教员们跟学员们跑完操后，便里里外外地忙碌起来，一些老学员也聚在一起七嘴八舌地议论着什么。

韩雨田很纳闷，还没举行开学典礼，这些老学员在背地里议论什么呀？他

毛公礼物二件　伴其奋斗一生

陕北公学

装作若无其事地靠近那些老学员，听他们说今天有中共中央和边区政府的大领导来陕北公学，参加我们的第二期学员开学典礼。

韩雨田高兴不已，又向队长石果打探情况。石果激动地告诉他说："今天的开学典礼上，毛泽东主席来向新生们发表讲话，中共中央和边区政府的高级领导人也将参加。"

韩雨田听了队长的话，热血立刻沸腾起来。

毛泽东——一个伟大的名字！早在两年前，毛泽东的名字就深深地刻在了韩雨田的心底。他知道，是毛泽东领导红军经过了两万五千里长征，转战到了陕北革命根据地，保留了革命的火种。因为有了毛泽东，才有了今天国共两党第二次合作、建立起了抗日统一阵线，给了中华民族救亡图存的希望。

早饭后，陕北公校的一千六百多名新老学员早早聚集在大操场上。军乐队吹奏雄壮有力的校歌，老师和同学们激动地等待着毛主席和边区政府领导的到来。

"来了！来了！看，毛主席来了！毛主席来了！！"

师生们特别地激动和兴奋。但是，因为受学员纪律的约束，大家都端端正正地坐在各自的位置上，只有掌声和笑声。

在校长成仿吾和副校长李维汉的陪同下，五六个身穿四个兜、土黄色军装的首长，昂首阔步走上临时搭就的主席台上。走在最前头的正是毛泽东！

韩雨田第一次见到了毛主席，又亲耳聆听了毛主席的演讲。

毛主席伟岸的身躯、朴实的着装、洒脱的气质、坦荡的胸怀，妙语连珠，果真是一位睿智的哲人、亲切的长者和卓越的领袖。毛主席的一言一行、一举一动，都传递着非凡的胆识和浩然正气。

这一切，都让韩雨田铭记在心，终生难忘！

关于毛主席著名的"两件礼物"的故事，就来自他在陕北公校第二期学生开学典礼上的讲话。

毛主席特别关心和重视陕北公学的进步和发展，从学校选址到学舍建设，他先后多次到陕北公学视察和讲话。这次新生开学典礼，是他第六次来陕北公学讲话。

韩雨田觉得，自己能见到中国共产党的领袖，能亲自聆听毛主席的讲话，该是世界上最幸福的人。

毛主席在讲话中说："中国共产党对于今天的开学是很高兴的，因此，我很光荣地代表中国共产党欢迎各位同志。像那天我说过的，你们不为升官发财，而且准备着或正在准备着牺牲生命参加抗战。你们这样的一千五六百人，为什么不到别处去，而到这里来呢？我想是由于你们对共产党的信仰，如果不是中共中央在这里，你们是不会到这来的。"

面对陕北公校的新老学员，毛主席很是幽默地讲道："今天陕公开学，我应当送点礼物给你们，但是，我没有多少东西，只能送你们两件礼物：第一件，是坚定不移的政治方向；第二件，是艰苦朴素的工作作风……我的礼物就这两件,好不好,你们再想一想。我想是有用处的,只要我们有一个一致的政治方向,有艰苦朴素的工作作风,而且坚持这一方向和作风,就能把全国人民团结起来,就能战胜日本帝国主义。"

从此,毛主席赠送的这"两件礼物",如同红色基因一样根植在了韩雨田的心中。

韩雨田深情地对石果说:"毛主席送给陕公的两件'礼物',是中国共产党取得革命胜利的两件法宝,更是我一生忠于党、忠于国家、全心全意为人民服务的金科玉律。我们要赢得抗日战争的伟大胜利,实现中华民族的伟大复兴,这两件'礼物'永远是鞭策我们牢记使命、奋斗终生的制胜法宝。"

开学典礼结束后,学员们开始了紧张的学习培训生活。

韩雨田没有辜负校领导和老师的期望。他不怕苦,不怕累,认真学习各种理论知识,积极参加军事训练,无论是理论考试还是军事技能比赛,都名列分队前茅,并多次受到校方表扬。

分队队长石果对韩雨田关爱有加。石果比韩雨田大七岁,参加革命早,显得很成熟。他像个老大哥一样,把韩雨田当成了自己的亲弟弟,吃、住、行都是关心备至。

石果童年时没上过学,文化知识都是在部队里学的。1937年底,他作为进修的红军干部被保送到陕北公学后,就十分羡慕那些有文化的爱国青年,经常在课余时间向他们学习方方面面的文化知识。现在,有了韩雨田这个副队长在身边,他更加如鱼得水了,几乎每天晚饭后都要叫上韩雨田一起沿着延河边散步,向他讨教文化知识。同时,他也教授韩雨田一些有关行军打仗的知识。

四月的陕甘宁春寒料峭,但延河岸边的柳树,已经吐出了鹅黄色的嫩芽。河堤上的一株株小草,在春阳的沐浴下,茂盛成了一团团、一片片。满眼的绿色,让人心旷神怡,好不惬意。

韩雨田与石果并肩而行,热烈地交谈着。走着,走着,石果在一棵刚刚长高的小垂柳下停下了脚步,他笑眯眯地瞅着韩雨田,问:"雨田同志,你愿意加

向着太阳走

入中国共产党吗?"

韩雨田听了一愣,意外地看着石果说:"加入中国共产党?当然愿意了!可是……"

韩雨田和马得草、李新生由越南海防市出发,万里迢迢来到延安,不就是为了加入中国共产党,加入抗日队伍吗?没来延安之前,他通过阅读进步书刊,与华侨报馆里的几位前辈交流时,就认定了中国共产党是为人民服务的伟大党派,是苦难深重的中国人民的救星,只有中国共产党,才能救中国。

韩雨田到达延安后,亲眼看见了陕甘宁边区天翻地覆的变化,目睹了中国共产党人的所言所行,观察到陕甘宁边区人民在中国共产党的领导下当家作主,一步步走向了民主自由、快乐幸福的生活。他更迫切地期待早日成为中国共产党队伍里的一员。只是,自己是归国华侨,一位富商子弟,刚刚进入革命队伍还没上战场参加战斗,够一名共产党员的标准吗?

韩雨田这样想着,瞅着石果怯怯地说:"石队长,我当然想加入中国共产党了!不过,我刚来到延安,够——够条件吗?"

石果早已看出了韩雨田心里的顾虑,笑呵呵地说:"怎么不够条件呢?你不是说过嘛,多年前你曾在广东老家读了很多革命书籍,了解了好多关于中国共产党和红军的故事吗?在越南海防市,你积极组织抗日救国运动,写了那么多宣传抗日的文章。更重要的是,你放弃了锦衣玉食的公子哥生活,不畏艰难险阻来到延安,被选送进了陕北公学!你也知道陕北公学是一个什么样的学校吧?这是中共中央为了培养党的军队干部和地方干部而建立的高级学校啊!"

"那——"韩雨田听了石果的话,心情越发激动,看着石果欲言又止。

石果拍了拍韩雨田的肩膀,毫不含糊地说:"按照中国共产党的党章规定,新党员要有两个介绍人,我明天就去找三分队队长李蕴章,他是老革命、老党员,由我们俩来当你的入党介绍人吧!"

说完,石果又感叹道:"雨田同志,你们这些知识青年来到延安,真是幸福啊!想想我们当年入党的时候,都是秘密的,根本不敢公开,要冒着被国民党反动派抓住砍头的风险啊！"

1938年5月，经石果和李蕴章介绍，韩雨田填写的入党申请书得到了上级组织的批准，他成为一名中国共产党预备党员，迈出了一生中的重要一步，并开始了为党、为国、为人民奉献的光辉历程。

17

大熔炉里锤炼　革命圣地建功

对韩雨田影响最大、让他感悟最深的是毛主席在开学典礼上送给同学们的"两件礼物",这使他更加坚定了对共产主义的信仰。除此之外,触动韩雨田灵魂最深的要数"黄克功案"了。

黄克功案发生在1937年10月。那时,韩雨田和马得草、李新生三人还在奔赴延安的路上。关于这个影响深远的历史案件,韩雨田是在陕公的政治课堂里听教员李蕴章讲的。

黄克功十五岁参加革命,经历过井冈山斗争和二万五千里长征,出生入死,立下赫赫战功。

红军长征到达陕甘宁边区后,黄克功进入抗日军政大学学习又留校任职,担任十五大队队长,案发时任抗大第六大队队长。被他杀害的女友刘茜,山西定襄人,时年十六岁,曾在太原市友仁中学读书。1937年7月卢沟桥事变发生后,满怀一腔抗日救国热情的刘茜,毅然离开了环境优越的家庭奔赴延安,同年8月被录取为抗日军政大学第三期第十五大队学员。

在抗大学习期间,刘茜和时任第十五大队队长的黄克功相恋了,并向同学和战友们公开了他们的恋爱关系。组织上根据学员管理纪律,遂将刘茜调到陕北公学学习,黄克功仍然留在抗大。

两人见面的机会逐渐减少,他们之间的关系也渐渐疏远。同时,在交往过程中,刘茜发现黄克功特别霸道,大男子主义思想也十分严重。他自恃红军出身，参加过井冈山斗争和二万五千里长征，曾在四渡赤水和夺取娄山关战役中立过大功，又当过师宣传科长和团政委，在抗大学习毕业后还留校担任了大队长，从而滋生了居功自傲的优越感。两人相处日久，刘茜终于忍受不了黄克功的骄横霸道，她曾婉转地向他表示终止两人的关系。她给黄克功写了一封信，信中明确表示两个人不合适，要求结束恋爱关系。

黄克功接到刘茜的信后，于1937年10月5日黄昏邀刘茜去延河边谈话，实际上是去摊牌。此时的黄克功杀心已起，他是怀揣勃朗宁手枪去赴会的。结果，两人话不投机，没能谈得拢。暮色苍茫之中，当刘茜明白无误地表示要与黄克功断绝恋爱关系后，黄克功一怒之下拔出手枪，残忍地将刘茜击倒在地。

黄克功杀人后显得非常淡定和从容，返回学校后洗去身上的血迹，并将手枪认真地擦拭了一番，然后到校部汇报并向法院投案自首。

黄克功案发生后，在边区引起了轩然大波。围绕对黄克功的处理存在两种不同意见。一部分人认为，杀人必须偿命，这是天经地义的事，完全没有讨论的余地；另一部分人认为，杀人固然要偿命，但黄克功是党的重要干部，并在井冈山和长征途中立过大功，目前正在进行抗日战争，人才匮乏，如果把他送到抗日前线，还能带兵杀死更多的日军。因此，应该给他一个戴罪立功的机会。

鉴于此，时任陕甘宁边区高等法院代院长、刑事审判庭庭长的雷经天，也向党中央和毛泽东主席请示，并附上了黄克功写给毛泽东主席的长信。

黄克功在信中表达了请求死在与敌人作战的战场上，而不是死在法场上的意愿。他在信中说："恕我犯罪一时，留我一条生命，以便将来为党尽最后一点忠。"

1937年10月10日，毛泽东给雷经天回信，说："黄克功过去在斗争中的历史是光荣的，今天处以极刑，我及党中央的同志都为之惋惜。但他犯下了不容赦免的大罪。一个共产党员、红军干部而有如此卑鄙的、残忍的、失掉党的立场的、失掉革命立场的、失掉人的立场的行为，如为赦免，便无以教育党，无以教育红军，无以教育革命者，并无以教育做一个普通的人。因此中央与

向着太阳走

军委不得不根据他的罪恶行为,根据党与红军的纪律,处他以极刑。"

他告诫全党、全军:"正因为黄克功不同于一般的普通人,正因为他是一个多年的共产党员,是一个多年的红军,所以不能不这样办。共产党与红军,对于自己的党员与红军成员不能不执行比一般平民更加严格的纪律。当此国家危急革命紧张之时,黄克功卑鄙无耻、残忍自私至如此程度,他之处死,是他自己行为决定的。一切共产党员、一切红军指战员、一切革命分子都要以黄克功为前车之鉴。"

李蕴章补充说,共产党对党员、红军对红军指战员必须执行比平民更加严格的纪律,这是从毛泽东主席这封信里所体现出来的执法思想。它显示出中国共产党的严明党纪以及其领导的人民军队的严明军法。正是由于这种严明执法,并用铁的纪律严格约束党员和军人,共产党和人民军队才深得人民群众的拥护,才具有无坚不摧的坚强战斗力。对党员比对群众要求更严,这是中国共产党在人民群众中享有崇高威望的一个秘诀,也是中国共产党能够在艰难困苦的条件下取得巨大成功的法宝。

为了教育广大党员、红军指战员和人民群众,毛泽东在给雷经天的信中末尾叮嘱说:"请你在公审大会上,当着黄克功及到会群众的面,除了宣布法庭判决外,还要宣读我的这封信。"

1937年10月11日,在陕北公学召开的万人公审大会上,黄克功在个人申诉时,坦白了自己的犯罪经过。最后,他向法庭请求,如果对他必须执行死刑的话,希望给他一挺机关枪,由执法队督阵,他要死在枪林弹雨的战场上。

法庭经过合议后,宣布判处黄克功死刑,立即执行枪决。

宣判后,审判长雷经天一字一句地宣读了毛主席的亲笔信,黄克功听了,默然无语,低头伏法。

黄克功被依法处决后,从延安到西安,从太原到全国都引起了强烈反响,民众盛赞共产党和八路军公正无私、执法如山。相比日益腐败的国统区,大家不约而同地把中国的希望寄托在延安那一方红色的土地上。

黄克功案处理后，刘茜的家属也得到了应有的安慰与抚恤。毛泽东还在抗大特意作了一场"革命与恋爱"的讲演，提出了革命青年在恋爱时应遵循的"三原则"——革命的原则、不妨碍工作和学习的原则、自愿的原则。他要求大家从黄克功案中吸取教训，坚决杜绝类似案件的发生。

黄克功案和毛泽东主席给审判长雷经天的那封亲笔信，让韩雨田刻骨铭心。他更加认定了共产党是为人民服务，八路军是为人民打天下，跟随共产党打天下是顺民心应天意的。

韩雨田愿意为这样的领袖和这样的政党奉献一切。他对李新生说："抛弃国民党，跟随共产党，是咱们一生中最明智的选择！"

李新生感慨道："若不是你一再坚持到延安，我和马得草恐怕就没有出头之日了。雨田兄，还是你站得高看得远啊！"

韩雨田笑笑说："新生，那年我们在广东大街上看到国民党军抢劫老百姓的店铺，我就恨透了国民党。我觉得，一个国家的军队不能保护老百姓的话，即使再好的装备和再高的军饷，也是不得人心、没有战斗力的。你看看共产党和八路军，处处为民众着想，为民众谋利益，这样的政党和军队即使条件再艰苦，也一定是不可战胜的。"

李新生点头说："这三个月的学习，对我而言，绝对是脱胎换骨般的洗礼。虽说条件艰苦，但心里特别踏实，总有一股使不完的劲儿。"

经过三个月的公学课程的打磨，韩雨田跟刚到延安时已判若两人。他不但在思想深处发生了天翻地覆的变化，而且作为中国共产党的预备党员，已经成为一名理想更坚定、意志更坚强、目标更明确的革命者。一年前的那个越南海防市华侨学校的青涩小青年，已经不复存在。

两年前，韩雨田还是一个手无缚鸡之力的富家子弟，而此时的他已经是坐如钟、站如松、行如风的革命军人。他不仅具备了一定的战略战术方面的理论知识，还在陕北公学第二期近七百名学员的军事技能比赛中，获得了射击第八名、拼刺第二十二名、武装负重越野前百名的好成绩。

向着太阳走

在数次实战演习中,韩雨田多次受到军事教员的表扬。他的综合素质甚至超过了一些参加革命多年、经历枪林弹雨考验的分队长们。

韩雨田期待自己像李新生一样,在结束陕北公学学习之后,加入八路军的行列,战斗在抗日战争的最前线。李新生被分配到贺龙任师长的八路军第120师,去大青山一带组织发展抗日游击队,配合主力部队开辟和巩固晋绥边区根据地。他非常羡慕李新生,希望自己也能到抗日前线去。

韩雨田还从马得草给他的来信中得知,马得草早已结束了短暂的战地救护培训,两个月前已经分配到刘伯承任师长的八路军第129师战地医院,随部队开拔到了太行山。

马得草在信中说,虽然医生和护士不是一线战斗人员,但他已经实现了加入八路军抗日救国的愿望。

韩雨田因学习成绩优异,受到了校方和上层重视,作为重点培养对象,又被推荐到延安中共中央党校继续学习。

1938年12月,韩雨田在中央党校被转为中国共产党正式党员。这是韩雨田政治生涯中的里程碑。

这位十八岁的年青党员在自己的日记里饱蘸青春热血,抒写了自己的满腔情怀——

> 延安,
> 你向阳而生,我寻光而至。
> 在这里,一个振聋发聩的声音,
> 把我心中的理想点燃。
> 信念的犁铧从此插入血液深处,
> 翻起热浪一路奔腾。
> 在这里,用拳头握出的庄严承诺,
> 承载着担当,抒发着激情,引领着未来!

  我要披肝沥胆、砥砺前行，
  用永恒的信念和坚强的力量，
  弹奏出关于太阳的最强音，
  在枪林弹雨中书写自信的人生。
  坚定不移的政治方向，
  艰苦朴素的工作作风，
  让这两件缀满黄金品格的礼物，
  伴随终生！

  延安，是中国共产党人在此奋斗了十三个春秋的圣地。在这片土地上，见证了中国共产党由小变大、由弱变强的艰苦而又辉煌的历程。

  延安，也是韩雨田被共产主义思想洗礼的圣地。在这里，他接受了毛主席弥足珍贵的陪伴其终生的"两件礼物"——坚定不移的政治方向和艰苦朴素的工作作风。

18

服从组织安排　下乡组建农会

转为正式党员后的韩雨田，更加渴望早日奔赴抗日前线。此时，抗日战争已经到了白热化阶段，无论是八路军、新四军还是抗日根据地的各级政府，都迫切需要有知识、有能力的党员干部和大量的有生力量加入其中。

韩雨田写了多次申请书交给校方，又一次次找领导提出口头要求。终于，在一个寒冷的冬日，他如愿以偿。他告别了学校领导、老师和同学们，告别了延安，被调到了晋察冀边区。他那充满希望与传奇的生命之书，又翻开了崭新的一页。

晋察冀边区根据地的创立、巩固和发展，对坚持华北敌后根据地和全国持久抗战起到了坚强的"堡垒"作用；对全国战略反攻和进军东北起到了"前进阵地"的作用。

根据地的军民在对敌斗争和各项建设中，创造了极为丰富的宝贵经验，被中共中央誉为"敌后模范抗日根据地及统一战线模范区"。晋察冀边区也为中国抗日战争和世界反法西斯战争的胜利作出了卓越贡献，为抗日战争的胜利打下了坚实基础。

韩雨田到达晋察冀边区后，立即向军分区首长请求，要求到抗日前线参加战斗。知识青年是地方政府和各部队的"宝贝"，也是重点保护对象，军分区首长又特别喜欢韩雨田这样充满朝气的青年知识分子。因此，他的请求没有得到组织的批准，而是被安排到平西抗日根据地，支援地方政府做农会工作。

起初，韩雨田很不理解，甚至向军分区首长说："在延安，我学习了那么长时间，不就是为了有朝一日奔赴抗日前线与日寇拼杀吗？当兵的不上战场，笔头子能把日本鬼子打出去吗？"

军分区首长对韩雨田说："大家来自五湖四海，都是为了抗日。可抗日也有不同的分工。即便在作战部队，也要按照战士的具体情况人尽其才。你韩雨田有文化、有知识，就应该去最需要你的地方工作。"

军分区首长又对韩雨田说："作为一名中国共产党员，要无条件服从组织分配；作为一名八路军战士，更要一切行动听从上级领导的指挥。"

韩雨田在军分区首长的教育下，慢慢解开了心结，愉快地去了平西抗日根据地涞水县农民救国联合会总会。

平西抗日根据地属于晋察冀边区的一部分，建立时间不长。卢沟桥事变后，昌平、南口、怀来、宣化和良乡等地沦陷。9月，房山、涿县、涞水、涿鹿等地相继被日军占领，整个平西的重要城镇和广大地区陷入敌手，平西的大好河山笼罩在血雨腥风之中。平西是华北的最前线，是八路军向热河、察哈尔前进的咽喉要道，也是晋察冀边区在北面强有力的屏障。创建平西根据地，是牵制敌人并巩固边区的胜利成果的重要战略。

1938年2月，八路军晋察冀军区命令一支队第三大队进军平西，到平西斋堂收编伪军，肃清土匪，偷袭门头沟日军据点。他们连战连捷，收复了房山、涞水、涿县、昌平、宛平、宣化、涿鹿、怀来的大片地区，并以斋堂为中心创建了平西抗日根据地。5月，八路军120师开赴平西，组成八路军第四纵队后，又根据战时需要开赴冀东。

一天，日伪军三千多人兵分四路向平西根据地的中心斋堂进攻。第四纵队又由冀东回师平西，与日伪军展开了迂回战斗，收复并扩大了以斋堂为中心的十二县抗日根据地，使之与晋察冀边区连成了一片。

平西根据地建立时间较短，而涞水县农会成立才几个月。1938年7月，日伪军进攻平西根据地时，农会遭到严重破坏。半数以上的农会成员因敌伪军和汉奸的抓捕和威胁而牺牲、逃亡或者退出了农会，各级农会组织大部分处于瘫痪状态。

韩雨田的主要任务是配合涞水县农会领导到各区乡重新组建农会，开展各种形式的抗日活动，尽快建立真正属于农民阶级、维护农民切身利益的农会组织，让广大农民以不同的形式开展抗日救亡活动，使民众真正成为中华民族抗日救国这一伟大壮举的中坚力量。

抗日战争全面爆发后，国共双方实现了第二次合作，抗日民族统一战线正式建立。根据合作宣言，中国共产党于1937年9月6日将中华苏维埃政府西北办事处改为陕甘宁边区政府，归属国民政府领导。至此，以各级苏维埃政权为基础的农团组织已经不复存在。为了广泛团结与组织群众，改善民众的生活，实现民主权利，中国共产党于1937年10月16日发布了关于农民土地和群众运动的政策，提出在抗日根据地的各类群众首先自己组织起来，基于群众自身的政治、经济与文化的各种要求，建立真正的群众工会、农会、学生会、商会及青年、妇女、儿童等团体，把大多数工人、雇农组织在工会和农会之内，激发广大群众参加抗日战争的积极性。同时，工会、农会也成为抗日政府最重要的群众基础和柱石。工会、农会的中心任务，就是广泛发动群众在改善生活待遇的基础上，引导广大群众参加抗日武装部队建设。

韩雨田被分配到涞水县农总会口子区担任农会组织股长。他就职后，区农会的工作人员刚好达到组织建制的最低标准：主任干事、组织干事、宣传干事、武装干事、情报干事、救济干事、总务干事等七人。

平西根据地的农会组织建制，主要以县为一个区域，分为县总会、区会、乡会和村会四级组织。其中，村会为基本组织单位，由村会员大会选举五人组成村干事会，由主任干事及组织、宣传、武装、救济等干事组成。村会以下分为若干小组，每个小组五至十人，设小组长一人。每个乡有半数以上的村庄成立村会的即可成立乡会，由全乡会员大会或代表大会选举七人组成乡干事会，由主任干事及组织、宣传、武装、情报、救济、总务等干事组成。每区有半数以上的乡镇成立乡会的即可成立区会，由全区会员代表大会选举七人组成区干事会，设主任干事及组织、宣传、武装、情报、救济、总务等六股股长，各股视工作需要酌设助理员若干人。全县有半数以上的区成立区会的即可成立县总会，由全县会员代表大会选举七人组织总干事会，分设主任干事及组织、宣传、武装、情报、救济、总务等六部部长，各部视工作需要酌设助理员若干人。

韩雨田报到的当天，口子区农会主任梁德发安排他跟随宣传股长安恒运、武装股长刘大海到青山乡的横岭村宣传抗日救国政策，并重新组建处于瘫痪状态的横岭村农会。

梁德发主任难为情地对韩雨田说："雨田同志，你刚到区农会，理应休息一下再工作。可去年夏天，日伪军对平西根据地进行'扫荡'，使得全区七八个村子的农会还处于瘫痪状态，急需重新组建。唉，咱们区农会加上你才七个人，连一个助理员都没有，工作压力很大，忙不过来啊！马上派你下去，总觉得于心不忍啊！"

韩雨田笑笑说："梁主任，千万别这样说！我年轻力壮，哪里需要休息呢？有急需的工作尽管安排，我保证完成任务！"

报到之前，韩雨田已经了解了平西根据地的农会的基本情况，而他在陕北公学和延安中央党校学习时，也学习过根据地的政府组织结构的课程。作为一个刚刚走出校门的十九岁新党员，还没有半点的工作经验和成绩，他就被委任为区农会组织股长。而在农会中，除了主任干事外，六个股长中组织股长是排在第一位的。也就是说，作为涞水县口子区农会组织股长的韩雨田，已经成为区农会的二把手。

韩雨田心里说：党相信我，重用我，我怎能不努力工作争取骄人的成绩呢？

梁主任将韩雨田和宣传股长安恒运、武装股长刘大海三人送出门外，又反复叮嘱：路上一定要注意安全，到了乡农会，要让他们派人当向导。进村后，一定要按照上级政策组建村农会。同时要提高警惕，防范地主恶霸和汉奸土匪的袭击。

在梁主任殷切目光中，韩雨田和安恒运、刘大海走出区政府的大门，踏上了下乡的路程。

安恒运三十多岁，梁主任曾向其介绍说，韩雨田是延安中共中央党校派来的，是一位有文化、有知识的新党员……听了梁主任的介绍，安恒运对韩雨田肃然起敬，一路上不断与韩雨田交流一些文化知识。

刘大海一年前参军到120师独立营。因为他作战勇敢，一年间就参加了十几次战斗，不到一年就入了党，并从普通战士晋升到了副连长的职位。三个月前，他在一次战斗中负了重伤，住进野战医院治疗后留下残疾，走路一瘸一拐的。他因不能适应作战部队的艰苦训练和频繁的运动作战，才被迫转业到地方，在涞水县口子区农会从事武装保卫工作。刘大海听梁主任说韩雨田是一位刚刚走出校门的新党员，一脸不屑地看了韩雨田一眼，用鼻子"哼"了一声，连一句囫囵话都没跟韩雨田说。

在区农会和去青山乡的路上，韩雨田几次跟刘大海搭话，可他或是装聋作哑没听到，或是"哼哼哈哈"没有回语。

刘大海对自己不理不睬甚至一脸嫌弃的样子，让韩雨田有些莫名其妙。心说：我和他前世无怨后世无仇，今天才见面，为啥对我这样？心里虽然乱嘀咕，但表面上他却对刘大海保持足够的尊重。

青山乡是口子区的一个边缘乡，韩雨田跟着安恒运和刘大海翻山越岭，走了两个多小时才到达青山乡政府。

他们走进乡农会办公室，发现屋里空无一人。安恒运向乡政府的人打听后才知道，乡农会七个人全部下村开展工作去了。青山乡偏僻，横岭村更偏僻，距离乡政府驻地有四十多里路。这四十多里路，大部分是山间小路，曲曲折折，十分难走。

安恒运面露难色，带着商量的口吻对韩雨田说："韩股长，没有向导，还是别去横岭村了。先在乡政府住一晚，等明天再去吧？"

没等韩雨田发表意见，刘大海就粗声粗气说道："怎么不能去？山里有路，咱们有腿，快点走，吃晌午饭之前就能到达横岭村。"

安恒运又道："刘股长，你也知道，横岭村在大山深处，那地方土匪多如牛毛。根据地建立后，因偏远和武装力量不够，到现在也没彻底肃清土匪。咱们不熟悉路，万一遇到土匪就麻烦了！"

刘大海哼了一声，从腰间拔出德国大镜面匣子枪，挥舞着说："土匪？土匪有什么可怕的？我手里的二十响大肚匣子，是吃素的吗？"

刘大海说完，还瞟了韩雨田一眼。

安恒运尴尬地笑了笑，憋了半天才说："我知道刘股长经历过枪林弹雨，打仗英勇，枪法也准，可——我和韩股长手里没枪啊！要是遇到成伙的土匪，你枪里只有六发子弹，能抵挡住吗？"

安恒运说得不错，刘大海那支德国大镜面匣子枪虽然是二十响的，但是他在独立营战斗时已经打出去十四发，现在匣子里只剩下六颗子弹。而这种连响的手枪子弹，八路军的兵工厂还制造不出来，全凭从敌人手里缴获。在对日作战中，无论是前方还是后方，武器装备差，弹药也不足。而在后方根据地，政府各级干部的武器配备更是落后，县级农会干部仍未配备上枪支，区级农会只有武装部长配了枪支。

这次下乡，总务股长交给韩雨田的武器就是一把砍刀和一颗手榴弹。安恒运除了一把大砍刀，挎包里也只有两颗手榴弹。

一把枪、六颗子弹、两把大砍刀、三颗手榴弹，这种装备倘若在路上遇到大股土匪，恐怕凶多吉少。

安恒运被刘大海挤兑得没办法，只好看着韩雨田，等待他的意见。虽然韩雨田第一天来到口子区农会，但他的职务却比他和刘大海高了半格。

韩雨田抬头看了看头顶上的日头，再看看寂静的青山乡政府，轻声道："安股长，咱们就听刘股长的吧！"

刘大海一瘸一拐地往院外走着，哼道："你俩尽管放宽心！我这个武装股长，

向着太阳走

不是泥捏的,保卫不了你俩的安全,我——我就任凭组织处置!"

韩雨田和安恒运并肩跟在刘大海后面,步履匆匆地朝横岭村方向走去。

路上,刘大海一脚高一脚矮地大步走着。他本来腰背挺直,因负伤后两腿落下残疾,走路时左右摇摆,就显得不那么利索了。

趁着刘大海去山路旁的草丛里小便,韩雨田悄声问安恒运:"安股长,我今天初来乍到,刘股长怎么对我这么冷漠啊?"

安恒运笑笑说:"刘大海这个人,虽然没有文化,可他胆子大,不怕死,打仗勇敢,在独立营里不到一年,就升到了副连长的位置。所以,有点骄傲。再者,转到地方后他心情也不太好,无论和谁说话,口气都比较冲……估计他看你年轻,又是学生出身,刚到区里就当上了组织股长,不服气呗!"

安恒运不愧是宣传股长,分析问题头头是道。

韩雨田点点头,说:"我会以实际行动向刘股长证明,我韩雨田不是那种弱不禁风、手无缚鸡之力的青年学生,而是一个坚定的共产党员,一个合格的抗日战士!"

临近晌午,他们三人沿着山上的羊肠小路进入一条深沟。沟两旁全是悬崖峭壁,峭壁上长满了藤蔓、荆棘和树木,几乎将山沟里的小路淹没。山风、鸟鸣,使这条沟壑充溢自然界的嘈杂之声。

三人正往前走时,突然前方树木、草丛中跳出五个手提大砍刀、穿着破烂衣衫的大汉,其中一个高声大叫道:"抢劫啦!抢劫啦!你们三个,赶快跪在地上,交出身上的所有财物来!"安恒运最担心的事情出现了!

19

当机立断战匪　枪法精准获敬

刘大海停下脚步，扭头对韩雨田和安恒运说："别慌张！躲在我后面，看我的！"

安恒运愣了一愣，左手抽下自己的大砍刀，右手伸到挎包里，抓住了一颗手榴弹。

韩雨田在和马得草、李新生他们奔赴延安的路上，经历了那么多险情，连凶恶的狼群都遇到过，心性早已坚强。此时，根本就没像刘大海猜测的那样慌张起来，他几乎和安恒运同时抽下背上的大砍刀，双手握住，瞪大眼睛，死死地盯着前面的五个土匪。

刘大海从腰间拔出匣子枪来，不退反进，朝前跨出三步，将韩雨田和安恒运挡在身后，枪口指着五个要抢劫他们的土匪，骂道："妈的！你们吃了熊心豹子胆啦！胆敢抢劫边区政府干部？赶快滚蛋！否则，我一枪一个，要了你们的命！"

五个土匪见刘大海有枪，急忙躲到大树后。那个喊话的土匪，脖子上挂着一只小铜锣和一根小棒槌，只见他将它们摘了下来，抡起小棒槌，铛铛铛地敲起锣来。

随着锣声，韩雨田看到前方的树林里嗖嗖跑出三个土匪来，他们和先前的那五个土匪一样，也都提着大砍刀，穿着破烂的衣衫。

接着，又听到身后咚咚咚地传来跑步声。韩雨田扭头看去，只见三人的身后不远处,又出现了一群土匪,手里也都提着大砍刀。

眨眼间,三人就被十八个土匪堵住了去路和退路。

前面那个敲锣的土匪,大概是头目,他对着土匪们大声喊道:"弟兄们!今天要发大财了!这三个小子手中有一把德国造大肚匣子啊!这可是宝贝,咱自己不留着用,拿出去卖,也能换回几十个大洋啊!"

吆喝完了,那土匪头目又从藏身的大树后探出脑袋来,朝刘大海叫道:"小子,你枪里有几颗子弹?够要我们这么多人的命吗?哼哼,识相的话,乖乖地把财物留下——嗯——还有你手里的这支枪,老子就放你们三人一条生路!"

刘大海勃然大怒,手臂一挺,对着那土匪头目就开了一枪。

"叭——"子弹擦着大树,呼啸而过,吓得那土匪头目立即缩回了脑袋。

前面的其他土匪,也都躲的躲,趴的趴,纷纷藏起了身子。

"好小子!你想仗着手中的这支德国造大肚匣子吓退我们吗?你做梦吧!你们不交出财物和这支枪跪地求饶,我们砍刀帮十八罗汉今天就把你们三个剁成肉酱!"那土匪头目躲在大树后,恶狠狠地高声喊道。

其他的土匪,也都大喊起来:

"留下买命钱来!饶你们不死!"

"缴枪不杀!缴枪不杀!!"

"小子们,你们被包围了,逃不走了!"

"哼哼——黑林沟是我们砍刀帮的地盘。你们三个,进来了,想活命,就快快跪下!"

……

前后十八个土匪的呐喊声,被深沟两侧的悬崖峭壁返回来,哇哇哇、嗡嗡嗡,响成一团,绵绵不绝。

刘大海转过身来,又将枪口对准后面的那群土匪。那群土匪见刘大海转回身来拿枪对着他们,也一齐躲藏起来。不过,唬人的吆喝却都没停下来。

韩雨田低声道:"刘股长,别再开枪了,节约子弹,等他们靠近了再打!"

刘大海刚才已经消耗了一颗子弹，现在他的枪里只剩下五颗子弹。若是土匪们不要命地朝前冲，他最多也只能打死三两个。剩下的那十多个土匪靠着两把砍刀和三颗手榴弹，怎么能消灭掉呢？

现在，前后都被土匪堵住了，两边沟沿十分陡峭，根本就无法攀爬上去。就算土匪不发起进攻，双方就这么对峙下去，形势对他们也很不利。这地方，前不搭村后不搭店，没人前来支援，等到天黑局势就不敢想象了。

"你——哼——"刘大海听到韩雨田的提醒，自知刚才太冲动了，白白浪费了一颗子弹，便也无话可说，只在鼻子里哼了几哼。

就这样，刘大海一会儿将枪口对准后面的土匪，一会儿又转身将枪口对准前面的土匪，双方相持起来。

安恒运掂了掂手里的手榴弹，小声对韩雨田说："咱发的这手榴弹，都是军区的兵工厂制造的，扔出去爆炸后的杀伤力不大，和鬼子的'小甜瓜'没法比，咱们拿在手里，主要是起个威慑作用。"

对两人配备的手榴弹，韩雨田也是心知肚明。在陕北公学的军事课程中，他曾多次参加过实弹演习。这种铁皮木把的手榴弹，有很多爆炸后只是分裂成了三四片甚至两半，除非贴着人体爆炸，否则很难炸死人。他们现在面对的可是十八个土匪啊！

看来，今天到最后，是要肉搏了！韩雨田对自己肉搏的能力还是很自信的。在陕北公学的军事课上，他除去熟练地掌握了长短枪的使用外，还学了一些冷兵器的搏杀技术。其中，刀法和拼刺刀他练得最好，在分队里无人能敌。只是，现在面对的土匪太多了，双方人数相差悬殊。即便刘大海能消灭五个，安恒运的两颗手榴弹能炸死炸伤三个两个的，那活蹦乱跳的土匪还是数倍于他们三人啊！

太阳渐渐地升到了头顶上，深沟里的空气却不见热辣。相反，因为双方的对峙，都仿佛变得冷冰冰了。

半个多时辰后，土匪头目急了！他再次敲响小铜锣，大声喊道："弟兄们！

向着太阳走

他枪里肯定没几颗子弹！不要怕，冲啊！向前，砍死他们！"

那土匪头目喊完，竟然不惧生死，率先朝三人冲过来。

刘大海再开一枪，击中了那土匪头目的右肩。土匪头目"啊"地叫了一声，趔趄了几下身子，却没有倒下，他继续呐喊着，大步冲上来。

前后的土匪们嗷嗷叫着，也大步跑起来。

安恒运朝前面的土匪扔出了一颗手榴弹。但是，没想到土匪头目身后一个土匪反应十分迅速，他迅疾抬脚，将滚在眼前的手榴弹踢了出去。

"嘭——"手榴弹爆炸了，腾起一片烟雾，炸落了小路旁树木上的几根树枝，竟然一个土匪也没伤到。

就在刘大海瞄准土匪头目，要开第三枪的时候，韩雨田猛地蹿到他身边，迅速夺下了他的匣子枪，在刘大海一脸错愕中，甩手就给了跑在前面的土匪头目一枪！

"叭！"随着一声清脆的枪响，只见土匪头目的脑门出现了一个小血洞，飞溅出一蓬血浆来！

"叭！"在土匪头目倒下的同时，韩雨田再开一枪。这一枪，又将一个紧随土匪头目身后的土匪击中，枪眼也是在脑门处，一枪毙命。

前面的土匪惊叫着，全卧倒在地上。

在刘大海和安恒运的四只惊骇的眼睛中，韩雨田快速转身，直接甩枪，"叭——叭——"又是两枪，同样击中了后面冲锋的两个土匪的脑袋！

只不过转瞬之间，韩雨田夺过刘大海的德国造大镜面匣子枪，开了四枪就击毙了四个土匪！这样的枪法，简直可算是神枪手了！

几乎被杂草遮掩的羊肠小路上，躺着四具尸体，他们的脑门处，仍在汨汨地冒出红白之物。

震慑，撼动人心的震慑！所有的土匪都被韩雨田精准的枪法吓得趴在地上，谁也不敢起身当出头鸟了。财物也好，大洋也好，没了命怎么去享用？

韩雨田擎着匣子枪，对着土匪们高声叫道："不瞒你们说，这支枪里，一共有二十发子弹。现在,用了六发,正好还剩下十四发。你们活着的,有十四个人,一人可以领一发呢!我奉劝你们,天大地大不如命大,爹亲娘亲不如自己的小命儿亲,要活命赶紧滚!这样,我们也可以省下这十四发子弹,用来打日本鬼子!"

不得不说,韩雨田的枪法奇准,而他的口才更是了得。他这一番攻心之语,在四枪毙命四个土匪之后起到了相当大的震慑作用。几个呼吸后,前面两个土匪爬起身来,飞速朝小路旁的树林里蹿去。接着,前后的土匪都惊惊慌慌地逃走了。黑水沟里,只余下一股股硝烟味。

20

夜以继日宣传　走村串户谈心

看到土匪们都不见影子了，韩雨田一边把德国造大镜面匣子枪还给刘大海，一边表示歉意地说："刘股长，请原谅！我刚才没打招呼，就把你的枪给夺了过来。"

刘大海满脸通红，接过枪来，低垂着头，结结巴巴地对韩雨田说："韩——韩股长，你——你这夺枪的手法——真是——真是厉害啊！你——你的枪法也——也太准了！要不是你，刚才——刚才咱们就——就危险了。"

之前不到半分钟内发生的事情，深深地震动了刘大海。他开了两枪，也只不过打伤了土匪头子。如果不是韩雨田在关键时刻夺过他的枪去，迅速击毙了土匪头子和另外三个土匪，震慑住了土匪们，那后果真不敢想象。韩雨田最后对土匪们说的那些虚张声势的话更是厉害，简直就是诸葛亮唱空城计，与他的枪法一样令人佩服。

安恒运惊魂稍定，像是看史前怪物那样看着韩雨田，问道："韩股长，你都没上过战场，可——可这枪法——你是怎么练出来的呢？莫非陕北公学那里，子弹随便用，你整天都在打靶？"

韩雨田笑笑，回他道："我的枪法算不上好，在陕北公学同期学员射击比赛中，只取得了第八名的成绩。今天能四发子弹击中四个土匪的脑袋，都是刘股长这支好枪的功劳啊！"

"第八名？你们那期学员有多少人啊？"安恒运好奇不已，继续追问道。

"六百八十三人。"韩雨田道。

安恒运大叫道："在六七百人中获得第八名，那也很了不起了啊！"

刘大海看向韩雨田的眼神再也没有了之前的鄙夷，相反，隐隐地透出了些钦佩来。他在独立营那会儿，三百多人中枪法最多能进入前五十名。

"时间不早了，咱们还是把这四具尸体处理一下，赶快去横岭村吧！"韩雨田说完，就朝前走去。

三人将四具土匪的尸体拖到小路旁的峭壁下，用树枝和杂草简单地掩盖了一番。韩雨田在安恒运和刘大海惊讶的目光下，弯腰鞠躬，口里念念有词："四位不知名的大哥啊！你们不要记恨我，我也是不得已，才拿你们的脑袋来杀鸡儆猴，吓退你们的同伙啊！你们要怨，就怨你们不好好做人，不去抗日反而当了土匪，来抢劫抗日战士。"

十九岁的韩雨田第一次杀人，并且一下子就杀了四个。而这四个土匪又八成是附近的贫穷山民出身，他的心中难免有些惴惴不安。

不过，在当时那十八个土匪嗷嗷叫着冲上来的时候，韩雨田夺枪，然后利用精准的枪法击中那四个土匪的脑门，也是不得已而为之的事情。他确实是为了造成一种无与伦比的震慑，使得其他土匪不敢再冒头冲向他们。要知道，刘大海的枪里，只有那四颗子弹了啊！若打在土匪的胸部让他们受重伤或毙命，虽然也能造成冲击，但总不如脑门上钻一个洞，鲜血和脑浆飞溅那么吓人啊！

安恒运扯了扯韩雨田的衣袖，说："韩股长，你也不要伤心了。当土匪的，哪有好人啊！再说了，刚才若不是你迅速射杀了他们四个，现在躺在这里的，恐怕就是我们三个了。"

刘大海也跟着说："是啊！这是你死我活的事情，没别的办法。"

作为武装股长，刘大海现在是后怕加羞愧。后怕的是，若没有韩雨田当机立断从他手里夺过枪去，用精准的枪法迅速射杀四个土匪，那他们三人今天很难全身逃出这条黑水沟。羞愧的是，自今天早晨刚见到韩雨田起，他就因为韩雨田是一个刚刚从延安中央党校分配来的青年学生而瞧不起他，更不服他当了口子区农会的组织股长，一路上对他冷脸相对，还说了那么多冷言冷语。

刘大海对韩雨田改变了看法，这剩下的路上气氛就活跃起来，三人一边走一边热烈地交谈着，也觉不出累来。才用了半个多时辰，他们就赶到了横岭村。

横岭村一百三十多户人家，散落于沟沟岔岔的深山老林里，好多农户相距三四里路，而且行走十分不便。当地的老乡对韩雨田说，前辈们当年选择宅基地时，专门选择人迹罕至的沟沟岔岔，一来防备土匪打劫，二来躲避官府勒索。虽说地处偏远，倒也活个清静。

韩雨田三人走进村口，跟一农家要了三碗白开水，就着自带的干粮吃了午饭。午饭后，找到了横岭村原农会主任周振和。

周振和大约六十岁左右，花白的头发，漆黑的脸庞上皱纹交错。他身材矮小瘦削，形象一点说，用针都剔不下三两肉来。

横岭村算是青山乡较大的村子，一百三十多户人家，周姓占了全村四分之三，是一个大姓。周振和辈分高，周姓人没有一个是他的长辈。因此，他在村子里说话的分量很重，人缘也好。

在周振和的带领下，韩雨田和安恒运、刘大海三人挨家挨户开始做工作。先是原村农会干事的家，接着是二十几个小组长的家，最后才是原农会普通会员的家。经过三天四个晚上的连续工作，跟原村农会成员全都谈了一遍话。韩雨田向会员们宣传了共产党的农会政策和抗日战争的现况，介绍了革命根据地其他乡村农会组织取得的成绩。

韩雨田说得口干舌燥，说服了大部分农会会员，大家被韩雨田吃苦耐劳的精神所感动，重新参加了农会组织。

在周振和家里吃过晚饭、留下饭钱后，三人被安排在周家家庙里住了一宿。

为了让劳累了三天三夜的韩雨田他们三人睡个好觉，周振和还安排了四个农会会员扛着红缨枪、提着大砍刀，在周家家庙门前站岗放哨。

第四天，韩雨田三人分开单独行动，由周振和与几个农会小组长引领，一家一户地说服动员那些没有加入农会的人家。

韩雨田起早贪黑，风雨不误地深入农民家里做思想工作，用跑断了腿、磨破了嘴形容都不为过。韩雨田知道，发动群众、组织群众也是抗日。

韩雨田在工作实践中，进一步理清了农民在中国历史上的地位和作用。农会是一种超越宗族关系的社会组织。它肇始于清朝末年，民国初期曾一度得到了发展壮大，但彼时仅是以乡绅和地主为主体、依附于政府、旨在农业改良的社会团体。

初春时节，还没开始耕种，山村农民大都窝在家里。缺少衣裤的大人和孩子，围着一床破破烂烂的大被子，坐在热炕上，听韩雨田讲参加农会的好处。他说一个篱笆三个桩，一个好汉三个帮，大家只有攥成一个拳头，小日本才不敢到咱们这儿烧杀抢掠。

功夫不负有心人，通过几天的逐户说服动员，横岭村一百三十多户人家，全部加入了农会。

韩雨田还在周家的家庙里，主持召开了涞水县青山乡横岭村农会第一次全体会员大会。

会上，韩雨田理论联系实际，宣讲了共产党和边区政府的各项方针政策，及村农会如何积极开展工作、争取农牧民的利益和支援前线的八路军游击队。他妙语连珠，引来农会会员们的阵阵掌声。

在横岭村跑了几天后，韩雨田和安恒运、刘大海三人又辗转到青山乡侯庙村。用了不到十天时间，青山乡所有瘫痪的村农会组织又重新建立起来。

韩雨田还在各村开展了减租减息、参军参战的活动，组建支援前线的担架队、小车运输队、救护慰问队等。群团组织也相继成立，农民生产互助等活动也都有序、有效地开展起来。

回到区里，作为宣传股长的安恒运向梁德发主任详细汇报了半个月来的工作情况。他还眉飞色舞地说起第一天去横岭村遭遇土匪，韩雨田临危不惧、震慑土匪的故事。

梁主任连连感叹，说："上级给我们口子区送来了一个宝贝。我要向县农会总会和县政府打报告，为韩雨田请功。"

　　几天后，县政府的嘉奖令传下来，表彰了韩雨田。

　　在各级农会干部日夜奔波下，晋察冀边区在很短的时间内就发展了二十七县四十多万农救会会员。河北地区在数月之内，发展了四十五县六十余万农救会会员。山西地区各村率先成立了农民抗日救国会，然后次第成立了区农救会和县农救会，会员达到上百万人。

　　转眼间，韩雨田在平西根据地涞水县农会工作了一年多。他的职务也由当初的口子区组织股长，晋升为涞水县农救会会长。

　　韩雨田把投奔延安以来取得的成绩，写信告诉了远在越南海防市的父亲和母亲。想必他们听到儿子的成长与进步，也会为之骄傲和自豪的。

21

发挥农会作用　支援前线灭寇

1940年夏秋之交，抗日战争到了最艰难的阶段。日伪军不断"扫荡"晋察冀边区根据地。根据地军民在共产党的英明领导和八路军总部的具体指挥下，与敌寇展开了殊死搏斗。

面对武器装备精良、兵员占据优势的日寇，八路军不计较一城一池之得失，以游击战为主，打一枪换一个地方，不断消耗敌寇的有生力量。

韩雨田组织县里各级农会干部，昼夜为八路军筹集粮草，并组织数十个担架队，跟随八路军战场救治伤员。

游击队以青纱帐战、麻雀战、山间战、地道战、地雷战等战法狙击、拖垮敌寇。

韩雨田在边区政府的领导下，组织农会成员，配合游击队挖战壕，造地雷，筑堡垒，修围墙，坚壁清野……以各种战术与日寇展开了生死较量。

韩雨田身为涞水县农总会会长，主抓县、区、乡、村四级农会工作。他积极响应朱德总司令和彭德怀副总司令的号召，发动涞水县农民群众，全力投入春耕生产劳动之中，为全年农业丰收打下了牢固基础。

期间，晋察冀边区银行向边区各县农民发放了三百多万元的春耕贷款，支援农业生产。

晋察冀边区银行于1938年3月20日在山西省五台县石嘴镇普济寺内开始营业，并在冀晋、冀中、冀热辽地区各设分行。按行政区域与业务需要设置支

向着太阳走

行及支行以下办事处、营业所、兑换所、派出所等。发行了铜元、一角券、二角券、五角券、一元、二元、五元、十元、五十元、一百元共十种票子。后来又发行了二百元、五百元、一千元、两千元、五千元五种大面额的纸币。

边区银行的票子发行后，随即清除了地方发行的各种钞票，统一了边区的货币市场，有效支持了农业生产，改善了人民生活，深受抗日根据地军民的欢迎。人们称晋察冀边区票为"抗日票""农民票"。

晋察冀边区票子还在山西、河北、察哈尔省、热河省以及辽宁西部、内蒙古、山东德州等敌后抗日根据地流通，流通地区人口达三千多万。

晋察冀边区银行

发挥农会作用 支援前线灭寇

韩雨田多年前曾在广东勷勤商学院学过金融专业,组织上安排他配合晋察冀边区银行,统计上报涞水县农村贫困户和需要贷款的农户,并要求逐户逐笔核查开列春耕贷款的具体发放对象和数目。这项工作对韩雨田而言可谓轻车熟路,但户多面广时间紧,想在短时间内完成任务,也只能加班加点开夜车。

韩雨田组织各级农会干部,夜以继日地工作,提前七天将涞水县的数十万元春耕贷款全部发放到位,使涞水县春耕春种生产保质保量完成,他本人也再次受到了县政府的嘉奖。

配合晋察冀边区银行发放春耕贷款,是韩雨田第一次接触银行的实际工作,并将理论知识运用到了实际工作之中。他由此积累了金融业务与实际操作的经验,受到了边区银行领导的表扬和高度重视。韩雨田也随之成为中国共产党重点培养的第一批金融人才。

1940年6月,为了更好地从战略上抗击日寇、战术上消灭日寇,晋察冀军区八路军第四纵队一部和地方部队,趁着日寇调集兵力"扫荡"边区根据地、后方兵力空虚之机,挥师平北敌占区,以迅雷不及掩耳之势连续发动进攻,迅速解放了平北地区数个县镇,使整个平北地区与晋察冀边区连成了一片,扩大了敌后抗日根据地。

韩雨田因在涞水县农会工作成绩突出,得到了边区领导和群众的公认,被边区政府和军分区选中,遂调转到平北抗日根据地龙赤县,协助成立县政府、组建各级农会。

韩雨田在新开辟的根据地工作,不但难度大,而且时刻有生命危险。很多被八路军击溃的伪军组成一股股土匪占山为王,四处祸害百姓。一些潜伏下来的汉奸昼伏夜出,不断对政府的干部和乡村救国会、妇救会、青救会等社团的干部进行暗杀。隔三岔五,就有抗日干部牺牲的消息传来。

韩雨田因在陕北公学接受过严格的军事训练,又有在平西根据地涞水县口子区青山乡勇战土匪的经历,便被边区领导安排到兵、民一体的地方武装配合八路军剿匪,或协助民兵锄奸。

向着太阳走

一天下午,韩雨田得到孙家庄农会主任孙成兴送来的消息,说汉奸孙成义从北平回到家里,遂决定把这个汉奸迅速除掉。

孙成义是龙赤县郊区孙家庄人氏,在龙赤县伪军大队当过大队长。八路军攻打龙赤县城时,孙成义得知日军决定放弃守城,便换上一套便衣,偷偷逃出城里,跑回了平北老家。

韩雨田听到这一重大消息,立马带着一把短枪和一只手提灯,直接去了孙家庄,与孙成兴会合后,带领两个农会会员摸黑去了孙成义家。

月色笼罩平北大地,孙家庄淹没在影影绰绰的幽暗中,不时有"汪汪"的狗吠声传来。

韩雨田给孙成兴递个眼神儿,随后一个助跑,爬上了孙成义家的院墙,翻过墙头后,轻轻打开了孙成义家的后门。

随后,孙成兴带着两个农会会员鱼贯而入。

韩雨田吩咐一个会员守住窗口,他一脚踢开了房门,带着孙成兴和另外一个农会会员冲进了屋子。

韩雨田打开手提灯,往土炕上一照,只见两个男女猛地从被窝里坐起来。

孙成兴将大刀片抵在孙成义的脖颈上,说:"孙成义,你卖国求荣,给日本人当走狗,带领伪军杀我抗日军民!今天晚上,我们代表抗日救国锄奸队,处你死刑,立即执行!"

孙成义在手提灯的映照下,还没等动身,孙成兴便和农会会员霍地跳到炕上,将他死死地按住了。

"啊——"孙成义的女人瞪着两只惊恐的眼睛,瑟瑟地抖动着身子,大哭起来。

农会会员左手按住孙成义的肩膀,右手拔出后背上的砍刀,用刀刃抵住女人的下巴,喝道:"再哭,老子就劈了你!"

女人立马捂住嘴巴,发出"呜呜"的哽咽声。

汉奸孙成义趴在炕上,嘀咕道:"你们的消息真灵啊!我刚刚到家,就被你们发现了!"

说完,又扭头看着孙成兴说:"二哥,我闺女明天过生日,我回来是给她过生日的。你——高抬贵手,过了明天,再来抓我成不?"

孙成兴哼了一声,说:"孙成义,别耍花招了!今天晚上就是你的死期!你别怪我不讲本家兄弟的情义,怪就怪你当了汉奸,不但辱没了孙家祖上,也成了死有余辜的卖国贼!"

孙成兴说完,就与农会会员合力将孙成义拖下炕来,押着他出了屋子。

孙成义的女人双手捂着嘴巴,哽哽咽咽地哭泣着。

韩雨田关了手提灯,跟在孙成兴后面,刚从屋里出来,只听套间的门突然"咣当"一声洞开,从里面蹿出一个黑影来。

韩雨田猛地转身,迅速打开手提灯,朝那黑影照去。

只见一个穿着月白小衣,披着满头青丝的女孩,对着韩雨田"扑通"跪在了地上,双手抱住他的腿哀求道:"大叔!您——放了我爹吧!明天——我过生日,别——别让我的生日,成了我爹的忌日啊!"

孙成义的女儿不断痛哭哀求,唤醒了炕上孙成义的老婆。只见她跪在炕上,一边哭,一边哀求韩雨田说:"大兄弟,您开开恩,饶她爹一死吧!"

韩雨田用力抽了抽自己的双腿,可那孙成义的女儿死死地抱住他不放。一时间,他不知该如何是好,只能一个姿势坚持了一会儿。这时,孙成兴已经和两个农会会员将孙成义拖出了院外。

大街上传来一阵阵狗吠声。

韩雨田用短枪指着孙成义女儿的头,尽量装出一副愤怒的样子,呵斥道:"放开我!再不放开,就一枪毙了你!"

孙成义的女儿依然抱着韩雨田的双腿,仰着脸哭道:"大叔,您放过我爹,我一定劝他不再当汉奸,让他跟着你们一起抗日!"

韩雨田低头看灯光下的这位少女,只见她长得眉清目秀,十分俊俏,与他的年龄相仿。

向着太阳走

此时，韩雨田从那少女的脸上仿佛看到了母亲的影子。当年，韩雨田离开越南海防市的四合院时，母亲阮氏桂也是这样泪眼婆娑地望着他，哀求他不要离开她。可是，那时年轻气盛，还不理解母子之间的情深，他毅然甩开了母亲的双手，扬长而去。当年的这一举动，让慢慢长大、渐渐懂事的韩雨田懊悔不已。他觉得那样粗暴地对待母亲，不仅是一种毫无理性的悖逆，也是一种失去人性的叛道。

几年来，经过风吹浪打、几经磨难的韩雨田，渐渐地对待任何事情都能举一反三，不再感情用事。此时此刻，面对少女的苦苦哀求，恻隐之心瞬时涌起。

二十一岁的韩雨田，只觉得一股热流涌上头顶，对孙成义的女儿道："快放开我——我去追他们，给你爹一个活命的机会。"

"啊？真的！？大叔，您一定放了我爹？大叔——我求您了！求您了！"孙成义的女儿一边央求，一边松开了韩雨田的双腿磕头作揖。

韩雨田一个箭步飞出院子，跑到大街上，才觉得有了如释重负的轻松。

孙家庄村东，有一条由北向南流淌的河流，孙成兴和两个农会会员将孙成义拖到河滩上，让他跪在那里。

孙成兴用手试了试大砍刀的刀刃，问孙成义："孙成义，你还有什么话要说，赶快说吧！不说，就没有机会了！"

"二哥，你——放了我吧！我不是汉奸！"

面对死亡，孙成义极力辩白自己不是汉奸，但他又拿不出不是汉奸的充分证据，只是一个劲地喊："我不是汉奸，你们杀了我，会后悔的！"

"哼！没被我们抓住的时候，你怎么不脱了那身伪军皮，当一个抗日救国的八路军呢？现在你说这些，晚了！"孙成兴一边说，一边举起了大砍刀。

月亮映照着大砍刀，一束寒光闪出，孙成义不得不闭上眼睛，说："恨没抗日死，且被兄杀头！"

22

锄奸佞遭禁闭　赤子无愧天地

"孙主任，刀下留人！"韩雨田一边放开嗓子大喊，一边向河滩跑。

"韩会长，夜长梦多，快对他执行死刑吧！"孙成兴双手擎着大砍刀，看着气喘吁吁跑过来的韩雨田说。

韩雨田看着河滩前跪着的孙成义，对孙成兴说："孙主任，我刚才想了想，或许留下孙成义一条性命，比直接砍了他的头更有利于抗日。"

"韩会长，您——这是闹得哪一出啊？"孙成兴大惑不解地问道。

两个农会会员也疑惑地看着韩雨田。

韩雨田指着孙成义，说："他不是和日寇的高层熟悉吗？我们放他回北平，让他替我们打探情报，掌握日寇的动向，这无论是对保卫根据地还是解放北平，都有好处啊！"

孙成义听了韩雨田的话，立马说："二哥！韩会长说得对，你们杀了我真的不如放了我！韩会长，我现在不能公开我的身份。但是，我和驻守北平西郊的日军最高指挥官宫本太郎大佐认识。你们放了我，我回到北平就能给八路军打探到很多有用的军事情报。"

孙成兴放下手里的大砍刀，对韩雨田说："韩会长，您是领导，您说了算。"

韩雨田蹲下身子，和孙成义面对着面，冷声说："孙成义，你老婆和你女儿已经给我下了保证，说劝你反水，不再当汉奸。你刚才也说了，要给我们农会当卧底。现在，我们暂且相信你一回，缓期执行你的死刑。日后，你若为八路

向着太阳走

军提供重要情报，我们就取消你的死刑。否则，若是发现你继续给日本人当走狗，那我们一定会再次捉到你，继续执行你的死刑！"

说完，韩雨田吩咐两个农会会员给孙成义松了绑。

孙成义站起身，向韩雨田拱手说："韩会长，我孙成义决不食言！明天给我女儿过完生日后，立马返回北平，为八路军当探子。"

当即，韩雨田和孙成义定下了日后接头的方式和地点。

看着孙成义死里逃生奔回家，韩雨田也和孙成兴告别，连夜返回了龙赤县城。

两天后，韩雨田刚吃过早饭，正准备带着助理员小张下乡，一个挽着包袱的女孩来到县农会。

韩雨田一眼就认出了她是孙成义的女儿，那天晚上她抱住自己双腿的情景立即浮现在眼前。

孙成义的女儿看到韩雨田，怯怯道："您——就是韩会长吧？"

那天晚上，她只顾抱着韩雨田的双腿央求，根本没看清韩雨田的模样，还以为韩会长是个中年汉子，没想到会这么年轻。

姑娘可能想到了那天晚上不断叫韩雨田"大叔"的情景，脸上羞得比灯笼还红。她站在那里对韩雨田说："我叫孙秀芝。"

那天晚上，孙秀芝看到父亲安然无恙回到家里，打心眼里感谢韩雨田。她跑到孙成兴家，打听到韩雨田在县农会工作，于是，就一大早从孙家庄跑到了县城农会，向他表示感谢。

孙秀芝打开手里的包袱，包袱里有一双千层底布鞋和两只绣花的鞋垫。她垂着头红着脸说："韩会长，这是我——亲手做的鞋和鞋垫，送给您吧！我也不知道您的脚大脚小，您穿上试试，看合不合适。"

站在一边的助理员小张，挤眉弄眼地看着韩雨田，嘴角上挂着暧昧的笑意。

"这——这可使不得！我——我有鞋。"韩雨田手忙脚乱地往外推着说。

谁料到，孙秀芝把布鞋和鞋垫朝韩雨田怀里一塞，转身跑了出去，又回过头大声说:"谢谢韩会长！您让我过了一个非常快乐的生日！"

喊罢，孙秀芝跑出大门就不见了踪影。小张笑嘻嘻地向韩雨田竖起大拇指，艳羡地说:"韩会长的眼光真高，找到这样一个俊媳妇，真是百里挑一啊！"

韩雨田急忙跟小张辩白说:"瞎说什么！我和她没有丁点的关系。刚才，你——没听她说不认识我吗?"

"嘿嘿——韩会长，别害羞嘛！"小张继续打趣韩雨田，"您说和她没有丁点关系，可她为啥送您一双新鞋和鞋垫呢？韩会长，您可能不知道，在我们平北这一带，布鞋和鞋垫可是青年男女的定情物啊！还有，她还说，您还给她过了一个最快乐的生日。你怎么说跟她没有丁点关系呢?"

"唉！唉……小张，你都扯了些什么呀？我……算了，不和你说了！"韩雨田脸红脖子粗地一扬手，刚要跨出门槛儿，却被小张拦住了。他指着韩雨田脚上那双已经磨透了鞋底，鞋帮也有几个破洞的鞋子，说:"韩会长，别不好意思！赶快把这双新鞋换上吧！今儿咱还要走山路，您脚上这双缺帮露底的鞋早该扔了！"

在小张的劝说和催促下，韩雨田不得不换上了孙秀芝给他做的那双新布鞋。

孙秀芝不但模样俊俏，还是一个心灵手巧的姑娘。大概是那天晚上她抱过韩雨田的腿，事后凭感觉估量过韩雨田的脚码，这双新布鞋衬上鞋垫，穿在韩雨田的脚上特别合脚。

韩雨田穿好鞋在地上走了一圈，高兴地说:"总算穿上了一双合脚的鞋。"

此后，无论是在路上还是工作中，韩雨田无时无刻不在感受着这双新鞋带给他的力量。孙秀芝的影子，也开始在他的心中不断地浮现出来。

韩雨田在乡下工作了十几天，回到县农会的第二天一早，孙秀芝又来到了县农会。不过这次，孙秀芝是和她本家二伯、村农会主任孙成兴一起来的。

孙成兴对韩雨田说:"孙成义刚从北平回来，带给我们一个重大情报，说日寇宫本太郎部正在加紧演练，准备近日'扫荡'八路军在平北开辟的根据地。"

孙秀芝满以为韩雨田听到这个重大情报，会当着她的面表扬一下自己的父亲。可韩雨田有心表扬，却不敢在孙成兴面前轻易流露出来。因为他知道，此时的自己既不是一个富家公子哥，也不是一个单纯的爱国华侨学生，而是一名共产党员，一个晋察冀边区的抗日干部。在抗日战争的残酷阶段，在革命尚未成功的当下，不能也没有时间顾及男女之事。他需要全身心地投入农会工作中去，投入抗日战争中去。

在面对孙秀芝的时候，韩雨田尽量不看她的眼睛，不和她说话，始终板着面孔，把她当成了一个既不熟悉又与己无关的人。

韩雨田马上向县政府领导汇报了孙成义提供的情报。县政府领导立即上报给平北军分区首长和晋察冀军区司令部。

就在平北根据地领导和军分区首长开会研究孙成义提供的情报时，中共龙赤县委书记王国强带着组织部长凌新波来到县农会，说找韩雨田谈话。

刚一坐下，王国强书记就十分严肃地对韩雨田说："雨田同志，县委接到一封匿名信，举报你和汉奸的女儿谈恋爱。今天，我和凌部长来，想听一听你的解释。"

韩雨田听了一愣，冷静了片刻才说："王书记，这纯粹是子虚乌有的事。我根本就没谈过恋爱，更谈不上和汉奸的女儿谈恋爱。请组织彻查此事！"

王国强书记"嗯"了一声，半信半疑地点点头。

坐在一边的组织部长凌新波却沉着脸，插嘴说："那你说说，最近到县农会来给你送礼物的那个女孩是什么人？"

韩雨田不以为然地笑了笑，说："王书记、凌部长，那个女孩叫孙秀芝，是城郊孙家庄人氏。前些天，我带人到村里抓捕她父亲孙成义时才认识的。不错，她前几天来给我送过一双鞋和一双鞋垫，可那是——她感谢我放了她的父亲才送的。我当时坚决不收，结果，她把鞋和鞋垫放下就跑了。第二次，她与孙家庄的农会主任孙成兴一起来替她父亲向我们提供情报的……"

凌新波正言厉色地说道："雨田同志，这只是你的一面之词！现在可以肯定的是，你刚认识孙秀芝的时候，就知道她是汉奸的女儿！既然知道她是汉奸的女儿，为啥还收受她的东西呢？是不是被她的美色所诱惑，忘记了自己是一名共产党党员，忘记了自己是一名八路军的抗日干部？还有，你是不是看好了那个孙秀芝才终止了那次锄奸行动，放跑了她父亲孙成义？"

"凌部长，您这样说，是不是太武断了！"韩雨田被凌新波劈头盖脸的一顿呵斥搞得十分恼火。不过，他还是尽量控制自己的情绪和冲动，继续申辩："王书记，我再说一遍，我和孙秀芝没有半点的干系。要说我放了孙成义，那是因为他和北平西郊日军头目宫本太郎大佐熟悉，我为了策反他当咱们的卧底，才有意放了他。凌部长，您若不相信，可以去找我的助理员小张同志和孙家庄村农会主任孙成兴同志调查此事。"

无论韩雨田怎么解释，凌新波就是不信，一再坚持说韩雨田放了孙成义是因为他看上了孙成义的女儿孙秀芝，失掉了革命者的原则，卖了个私情给孙成义。

最后，还是王国强摆了摆手，制止了凌新波对韩雨田的呵斥。

王国强对韩雨田说："雨田同志，我觉着，现在唯一能证明你没有失去党性和革命者立场的就是，看孙成义提供的情报是不是真实的。若是真实的，不但说明你没有跟汉奸的女儿谈恋爱，而且还证明你是一个能够灵活机动地掌握我党抗日政策的好党员、好干部。现在，按照地方和军队的组织原则，我们暂时关你的禁闭，等待军分区首长对你作出最后的处理决定吧！"

王国强说完，转身吩咐农会副会长临时接替韩雨田的工作，随后把韩雨田带进了禁闭室。

韩雨田被锁进了一间小黑屋里，一日三餐，由专人递送。

临走时，凌新波又警告韩雨田说："我希望你说的全是真的！组织上也不希望看到那个被你策反后的孙成义又摇身一变，成了日寇的卧底。如果事实证明你撒了谎，欺骗了组织，那组织上一定要严肃处理你！"

韩雨田抿嘴笑了笑，说："身正不怕影子歪，我相信组织。"

被关禁闭的第三天，是韩雨田参加抗日队伍以来最难熬的日子。他孤零零

向着太阳走

地蹲在那间仅有几平方米的小黑屋里,等待上级对他"与汉奸女儿谈恋爱"事件的最终处理结果。

此时的韩雨田,悲情愤然而生,心说:哪个庙里都有冤死鬼,难道我韩雨田也会成为抗日斗争中的冤死鬼?想到这儿,他禁不住泪如雨下,在禁闭室的一面墙上写道:

> 征途艰难盼星辰,
> 宝塔生辉延安心。
> 创建红区功屡立,
> 一心抗战品行纯。
> 信仰使命永不忘,
> 为国驱房献青春。
> 翻山越岭平常事,
> 赴汤蹈火主义真。

王国强和凌新波第二次找韩雨田谈话时,已经是他被关禁闭的第七天。王国强二人带来了一个重大消息,驻扎在平北占领区的日伪军两千多人,对平北根据地进行了秋季"大扫荡"。

多亏平北政府和军分区接到孙成义的情报后,做好了反"扫荡"的各项准备。日伪军刚刚进入根据地就被八路军和地方武装打了个埋伏,死伤惨重,反"扫荡"战役就像一出短小的闹剧匆匆结束了。

龙赤县委书记王国强带着组织部长凌新波来到禁闭室,解除了韩雨田的禁闭。凌新波不但向韩雨田赔了礼道了歉,还代表晋察冀边区政府又给韩雨田嘉奖一次,表彰他审时度势,灵活掌握抗日锄奸政策和战术,成功策反了伪军大队长孙成义,为平北根据地军民反"扫荡"作出了重大贡献。

在反"扫荡"胜利庆功大会上,王国强邀请韩雨田上台,让他分享如何做好农会工作，配合前线部队进行抗日斗争，又怎么担当责任，刀下放人，成功策反孙成义的经验和事迹。

韩雨田说："革命，先革自己，放弃私心杂念才能革命到底。作为一个革命者，既要坚决执行上级指示，还要灵活运用上级政策。一切为了胜利，一切为了打赢。除此之外，没有任何捷径……"

首长和农会干部听了韩雨田的介绍，一致认为韩雨田的政治觉悟高，是一位有党性、有坚定革命立场、有良好抗日理论和工作实践的青年才俊。

23

参加百团大战　请缨斩关夺隘

几位参加庆功会的首长联名写信给军分区首长,请求将韩雨田从后方调入前线。那时候,晋察冀边区有一个口号,就是"一切服从前线,一切为了前线,一切为了胜利"。前线需要的人、财、物,后方都要无条件提供。

本想将韩雨田放在地方工作的军分区首长,看到大家的来信之后,思量再三,才将韩雨田的调令下达,任命其为晋察冀军区第五分区司令部文化宣传干事。

军分区司令部还给韩雨田配备了一支勃朗宁手枪。这支花口撸子,可装七颗子弹,虽然与刘大海的那支二十响的德国造大镜面匣子相差很远,但比起战士们用的汉阳造长枪,无疑是防身和战斗的好武器。

韩雨田如愿以偿,正式成为了一个名副其实的抗日战士。从此,他把全身心都投入了旷日持久的抗日战争中,随部队一起举枪杀敌,跟战友一起活跃在晋察冀边区的最前线。利用打仗和训练间隙,韩雨田还要给官兵宣讲党开展反"扫荡"、反"围剿"的战略决策,讲毛泽东主席的《论持久战》,讲抗战必胜的理论依据。

抗日战争已经进入了最艰难的阶段。日寇依靠先进的武器装备和占据战略主动的优势,在敌占区实行"清乡"政策。他们调集大批日军,扶持日伪政权,对共产党领导下的晋察冀边区进行大规模"扫荡",烧杀抢掠,实行"三光"政策,制造恐怖气氛。在共产党领导下的敌后根据地,甚至出现了"曲线救国"

的论调。许多人被日寇的嚣张气焰吓破了胆，说什么三十个中国兵也战胜不了一个日本兵，认为日军是不可战胜的……悲观失望的情绪在民众中蔓延开来，这也是"二鬼子"比日本兵还多的一个重要原因。

不少中国人投机当了汉奸，或者参加了伪军，或者进入伪政府当差。在这种情况下，为了鼓舞民心、振奋抗战精神，韩雨田充分发挥了自身口才和笔杆子的优势。他下连队进行口头宣传和演讲，写文章投到部队和地方的各种抗日报刊上发表，为部队在解放区很快立住脚跟、克敌制胜作出了自己的贡献。

韩雨田奋战在抗战第一线，除了做好广大指战员的政治教育外，还向当地群众宣传抗日救国的重要意义。工作任务虽然繁重，但他从没叫过一声苦，喊过一次累。韩雨田觉得为抗日做事总有一股使不完的劲儿。

在著名的百团大战中，韩雨田作为军分区文化宣传干事，还被指战员们封了一个"毙敌冠军"的雅号。一位文职干部被官兵称之为"毙敌冠军"，这在晋察冀军区当是一个令人钦佩的称呼。

为了粉碎日军的图谋，打破其"囚笼政策"，趁着庄稼在生长期和连雨天气，八路军总部指挥129师、120师和晋察冀军区集中兵力，对华北地区河北、山西的日伪军发动了一次大规模的破袭作战。

1940年8月8日，朱德、彭德怀、左权下达了《战役行动命令》，参战兵力不少于二十二个团。由于战前进行了广泛深入的宣传发动，官兵参战的积极性空前高涨，晋察冀军区三十九个团、第129师（含决死队第一、第三纵队等）四十六个团、第120师（含决死队第二、第四纵队等）二十个团，共一百零五个团二十余万人，外加许多地方游击队和民兵参加作战。

在华北地区两千多公里的战线上，八路军对日本侵略者发动了大规模攻击，拔掉了敌人靠近根据地的碉堡、据点，炸毁了铁路、桥梁、公路，使日军的交通线瘫痪，这就是著名的百团大战。

韩雨田在百团大战中，还从日军手里缴获了一支二十响的德国造大镜面匣子枪，一时被官兵传为美谈。

向着太阳走

1940年11月，百团大战进入第三阶段时，韩雨田所在的晋察冀军区第五军分区向靠近平北根据地的边缘敌占区发起进攻。分区司令部为了方便指挥，将前线指挥部设在刚刚从日军手里夺回的万兴火车站。铁路乃是交通大动脉，无论是对军事还是经济都至关重要。万兴火车站的失守，惹得日军华北方面军司令官多田骏邪火陡升，他很快实施了疯狂报复，烧毁陈庄，在万寿岩、破门口、冯沟里等地杀害中国军民一万六千多人。

多田骏还命令驻守在北平西郊的日军大佐宫本太郎组织兵力，不惜一切代价夺回万兴火车站。

这个日军大佐宫本太郎，就是韩雨田在平北龙赤县锄奸时，被策反的那个孙成义平日交好的日军高官。他毕业于日本陆军大学，是多田骏的校友。他在华多年，凭借见机行事，不求有功但求无过，一遇危险保命第一的原则，不但没有战死，而且由低级尉官升至高级佐官，也算活得"有滋有味"。

接到多田骏下达的电令后，宫本太郎自知推诿逃避是不现实的，那样会被多田骏送上军事法庭，执行他的死刑都没牙啃。因为他知道，在八路军发动的百团大战中，多田骏因多次战役失败窝了一肚子火，正想找回场子。

眼下，摆在宫本太郎面前的只有两条路：一是指挥部队，夺回万兴火车站；二是战死在沙场，为天皇效忠。

宫本太郎迅速集结联队官兵，拖出十门山炮、几十门小钢炮和十余挺重机枪，又从师团本部借来三辆装甲车，强化了武装进攻的力量。出发前，为了鼓舞士气，宫本太郎亲自率队高唱华北方面军军歌——

御皇陵前死出征，皇军健儿堂堂进，威压中原威风凛，看，严防的北支派遣军。

万里长城固若金汤，黄河急流奔腾汹涌，陆空纵横歼灭顽敌，看，搏杀的北支派遣军。

匪党非道扰民众，叫嚷抗日破坏一空，新的秩序我们建成，看，正义的北支派遣军。

昨日妖云蔽日,今天晴空朗朗,阳光下的民众,在寻求威令,看,光荣的北支派遣军。

宫本太郎将一千五百多人的日伪军兵分东、北、南三路连夜进发,气势汹汹地朝万兴火车站扑去。

晋察冀军区第五军分区攻下万兴火车站后,沿着铁路继续朝东北方向进攻日伪占领区。留守在万兴火车站的部队,只有独立营三百五十多人。当宫本太郎率领三路大军逼近万兴火车站时,军区司令部立即电令前线部队返回,追尾阻击和加入坚守万兴火车站的战斗行列。

1940年11月7日,天刚拂晓,万兴火车站枪炮齐鸣,硝烟弥漫。东、北、南三个方向各有一辆装甲车隆隆开路,日伪步兵紧跟在装甲车后面,直奔独立营的防守工事。一门门小钢炮就地发射,各路重机枪也爆豆般骤起狂澜。

密集的爆炸声将我独立营的防守工事笼罩。山炮、小钢炮和重机枪的火力刚一停下,紧跟在装甲车后面的日伪军叫喊着发起了第一次冲锋。日伪军的第一轮覆盖式炮火轰击将我方工事炸得七零八落,给留守火车站的独立营官兵造成了重大伤亡。

当日伪军进入步枪的射程时,独立营官兵绕开装甲车,迅速从侧面向敌人开火。

独立营的武器装备与日伪军有着云泥之别。全营只有一挺马克沁重机枪和六挺缴获的日军歪把子轻机枪,面对三个方向的防御,可谓捉襟见肘。当敌人的第二次冲锋被打退后,独立营和警卫连、通讯排已经出现严重伤亡,各处工事因兵员不足,出现了许多缺口和漏洞,急需补充防守力量。

军分区首长急得团团转,恨不得亲自冲上去防守工事。司令部的参谋、电报员、机要秘书、宣传干事等非战斗人员看到形势危急,也纷纷要求参战。

韩雨田更是摩拳擦掌,多次向司令员请缨:"首长,我的枪法很准,让我上

向着太阳走

去吧！"

韩雨田是分区首长十分器重的人才，怎么舍得让他去坚守阵地呢？司令员挥挥手说："韩雨田，你给我坐下！我们的兵力再紧张，也轮不到你操枪上阵！"

听到指挥部外面接连不断的枪炮声和双方厮杀的呐喊声，韩雨田热血滚动，急得他在屋子里来回走动。他一边走，一边继续向司令员请求："首长，你就放我去吧！我这条命，不会那么容易被敌人拿去的！"

最后，司令员受不了韩雨田三番五次的纠缠，把自己的勃朗宁交给了韩雨田，说："记住，无论如何，你都得活着回来！"

手持两把装满了子弹的勃朗宁，衣兜里又塞了四颗手榴弹，韩雨田迅速跑出指挥部，朝着车站东边的防御工事跑去。

这时，一排子弹扫过来，在韩雨田脚下激起一片烟尘，他伏在地上滚动向前，躲过了敌人的射击。

万兴火车站东面，有十几堵石墙、两段沙包工事，组成了防御阵线。韩雨田跑到一堵石墙前，正好遇到上百个日伪军朝那里发起第三次冲锋。一辆装甲车被炮弹坑和双方肉搏时留下的尸体阻挡，停在百米之外，成了日伪军的一个钢铁堡垒，两挺重机枪和三挺轻机枪掩护着进攻的日伪军。

炮声隆隆，子弹横飞。冲在前面的日伪军一片片倒下，韩雨田身边的独立营、警卫连和通讯排不时有战友中弹负伤。

韩雨田看着冲上来的日伪军尚未进入勃朗宁手枪的射程，急得他把枪举起来又放下，再举起来再放下。他要节约每一颗子弹，用每一颗子弹消灭一个敌人。终于，冲在最前头的十几个日伪军进入了手枪射程之内，韩雨田在一片震耳欲聋的枪声中，沉着地举起勃朗宁手枪，略一瞄准，连续三枪打死了三个日军。冲锋的日伪军愣了愣神，突然停下了脚步。

韩雨田趁着这个机会，又连开三枪，同样是弹无虚发，一枪击倒一个，吓得那些冲进勃朗宁手枪射程的日伪军或连连后退，或卧倒在地。

韩雨田把枪口对准那些没有后退、卧倒在地的日伪军，瞄准其中一个的脑袋"叭"地一枪,那倒霉蛋的头像爆开的西瓜,喷出一片血红来。卧倒的日伪军见状,急忙爬着后退。

韩雨田的另一支勃朗宁手枪,也一声接一声地响着,每响一声,就会有一个鬼子倒下。

两把枪的十四发子弹全部打光后,消灭了冲锋的十多个日军。韩雨田的精准枪法引起了独立营宋连长的注意,他弓着腰跑到韩雨田身边,朝他竖起大拇指,说:"韩干事,没想到你口才好,文章写得棒,枪法也这么准啊!"

这时,装甲车后面一个压阵的日军中尉,一边挥舞着手里的德国造大镜面匣子枪,一边声嘶力竭地喊着:"八嘎!鸭鸡给给!!"

时间停滞了几秒,宋连长打着眼罩,望着装甲车后面的那个大喊大叫的日军中尉,问韩雨田:"韩干事,有没有把握用三八大盖把那个家伙干掉?"

韩雨田目测了一下,有近二百米的距离,道:"给我一条长枪和三颗子弹!"

"好!你稍等!"

宋连长随即跑向一个战士,从他手里拿来一支三八大盖递给了韩雨田。

韩雨田接过长枪,顺势卧倒在沙包后面挺出枪身,瞄向那个日军中尉后,只听"叭"的一声脆响,那日军中尉两手一扬,朝后倒了下去。

韩雨田仅用了一颗子弹,就射中了日军中尉的脑门儿。指挥官被击毙,日伪军顿时乱作一团。

宋连长霍地站起身来,高喊:"同志们!冲啊!"

韩雨田率先越出工事,朝着日伪军冲杀过去。

在官兵们的喊杀声中,韩雨田挥舞着没有子弹的勃朗宁手枪冲上前去,跑到那个日军中尉的尸体旁,捡起了那支德国造大镜面匣子枪。

战斗结束后,韩雨田爱不释手地看着缴获的宝贝,突然想起刘大海的那支匣子枪来。当时,他也幻想自己什么时候也有这么一支手枪,没想到时隔两年梦想成真。

24

火线掩护战友　得草英勇献身

百团大战结束后,韩雨田再次激起了写作、投稿、发表文章的热情。

在战斗和训练间隙,韩雨田把自己的所见所闻写成抗战故事,投到《华北日报》《抗敌报》《挺进报》《晋察冀边区报》和《前线故事》等报纸,在军营和社会上引起了强烈反响。

韩雨田的文章素材大都来自抗战一线,贴近部队官兵,贴近抗战生活,深受广大指战员的喜爱。像他写的描叙破坏日军铁路线的儿童故事《少年爆破队》、反映我军通过运动战消灭日寇的小说《捉鬼计》,和宣传抗日同盟军事迹的舞台剧《哑巴》等,在部队广泛流传,许多指战员都能倒背如流。

韩雨田跟随部队奔波在晋察冀地区,哪里需要就到哪里去。长时间的战斗训练,跋山涉水,架桥铺路,经受着体力和意志的双重考验,使得他本来不够壮实的身体渐渐虚弱下来。

1941年秋,韩雨田从晋察冀军区第五分区调至第四分区,依然担任文化宣传干事。虽然参加与日伪军面对面作战的机会少了一些,但付出的体力和精力比那些厮杀在前沿阵地的指战员还有过之而无不及。在残酷的战斗中和急速的行军间隙,其他指战员可以倒头就睡,补充体力和精力,而韩雨田则要坐下来,埋头写他的所见所闻和战斗英雄的事迹。由于休整和休息的时间很少,他无法完成篇幅较长的文章,只能见缝插针写一些短小精悍、小中见大的新闻报道。

1942年春天,韩雨田因长期行军作战,身体严重透支,不幸患上了难以治愈的结肠炎。呕吐，拉肚子，浑身乏力，肚子疼得他寸步难行。

军分区的医疗队缺医少药，条件极差，难以治愈韩雨田的病症，他因此难以适应作战部队的紧张生活。

军分区首长很珍惜党培养出来的年轻干部，不顾韩雨田的强烈反对，强行将他送进了晋察冀军区野战医院，开始脱岗治疗。

让韩雨田意想不到的是，在医院里他竟然与失联多年的马得草久别重逢。此时的马得草，经过几年战火的锤炼，已经成长为一名出色的军医。他跟医院里的一位护士长结了婚，儿子已经一岁半了。两人相见后分外高兴，韩雨田强忍着肚子的疼痛，向马得草介绍了两人分别后的经历。

马得草有些不好意思地对韩雨田说："雨田兄，实在对不起！我和邢秋护士长结婚时，也没顾得上请你和新生来喝杯喜酒。当时，我只知道你从陕北公学毕业后又去了延安中央党校深造。后来，你从党校毕业后分配到哪里，我就不得而知了。这几年，我逢人就打听你的下落，始终没有结果。"

韩雨田忍着疼痛笑笑说："得草，为了抗日，为了革命，我们心里相互挂念着就好了。见不见面，喝不喝喜酒都无所谓。我想，你们小两口在野战医院的工作一定很出色，我向你们表示祝贺！也祝贺你们为抗日作出了贡献！"

马得草说："我和邢秋的婚礼很简单，我们野战医院的院长主持了一个仪式，除了医院的医生护士，还有一些能行动的伤病员参加了结婚典礼。当晚，因防备日军'扫荡'，我和邢秋在岗位上值了一夜的班，连洞房都没进去呢！"

马得草还向韩雨田介绍了李新生的情况，他说："我从一个住院的游击队员那里得知，李新生在1940年秋天被调往晋东地区组建抗日游击队。现在，他担任了一支游击队的大队长，整天带领三百多人的队伍挖地道、钻青纱帐和日寇打游击战，成了晋东地区有名的战斗英雄。"

韩雨田笑道："看来咱们三人，各自都有成绩啊！"

马得草扮了个鬼脸，笑嘻嘻地对韩雨田说："雨田兄，我不过是救治了一些战友，而李新生是带领游击队消灭日本鬼子的。你呢，在根据地组建政府机构，

向着太阳走

又到部队当宣传干事,搞演讲,写文章,鼓舞部队官兵英勇抗日,这些都是大事情呀!换了我根本就做不来!"

韩雨田在野战医院里住了十来天,病情依然不见好转。由于晋察冀边区在日寇的严密封锁和"扫荡"下,缺医少药,即便进了野战医院,也没有更好的药物治疗他这种顽疾。

马得草和邢秋只能给韩雨田吃点儿消炎药片,输点儿生理盐水缓解一下。邢秋还从当地的老乡那里给韩雨田掏弄了一个偏方,说五月节那天早晨没出日头之前,到山上采五个山核桃,放进60度的老白干里泡七天之后,每天早晨空腹喝一两,连喝七天就能治愈。可现在已经过了五月节,等到明年五月节还得十多个月呢!

向来以抗日事业为重的韩雨田,怎么能等得了十个月?他坚决要求出院,死活要回到军分区岗位上。

就在他闹腾着出院时,医院领导接到上级通知,说日军违背国际红十字会相关条约,派出陆军航空队将对野战医院进行轰炸袭击。

当时,韩雨田的结肠炎连续发作了好几天,肚子疼得只能蜷缩在病床上,像一只烧熟了的大对虾。医院马上转移,他根本无法行走。

马得草和邢秋把他当作腿脚负伤的重伤员,强行把他摁在担架上,两人抬着他朝隐蔽点转移。

蜿蜒的撤退队伍,朝着一条林木茂密的大山沟里行进。这时,天空突然传来飞机的轰鸣声。抬头看去,几架日机由远而近飞来。

"卧倒!快隐蔽!"院长大声喊道。

野战医院里的警卫员也前后跑着,大喊着,走在队伍前头的伤病员迅速钻进树林里。后面的医护人员随地寻找土丘、岩石或坑洼地隐蔽起来。

马得草和邢秋抬着韩雨田,跌跌撞撞朝不远的小土丘后面跑去。

"放下我!赶快放下我!你们快去躲藏起来!"韩雨田看到灰黑色的敌机由小变大,飞速而来,不由得对马得草和邢秋大声喊起来。

他不想拖累这对年轻的革命夫妻，更不想让日寇的飞行员发现他们三人这个目标。

"雨田兄，别动！你是病员，我们是医护人员，怎么能扔下你不管呢？！你好好躺着，我们把你送到隐蔽处！"马得草抬着担架的前头，一边跑一边扭回头对韩雨田喊道。

马得草和邢秋抬着韩雨田奔跑，邢秋累得呼哧带喘，脚步越来越慢，又被石头绊倒在地上。

这时，日寇的飞机已经飞到头顶。"嘎嘎嘎，嘎嘎嘎……"机关枪像爆豆一般响起。

"卧倒！"

马得草大喊一声。同时，他和邢秋顺势趴在韩雨田身上，把他遮挡起来。

"噗噗噗……"

韩雨田惊恐地看到，成串的机关枪子弹扫射在马得草和邢秋的脊背上，一朵朵鲜红的血花从马得草和邢秋的躯体上溅起，淌在了他的身上。

"啊——！"

韩雨田嘶声大叫着，奋力从马得草和邢秋两人的身子下拱了出来，哭喊道："马得草！——邢秋！"

日寇的飞机一扫而过，很快消失在天边。

韩雨田见马得草已经牺牲，邢秋闭着眼睛，一口一口地喘着气，每喘一口气就有血沫子从嘴角溢出来。

韩雨田趴在两人鲜血淋漓的身上放声大哭。

突然，邢秋的身子轻轻动了一下，韩雨田见她慢慢睁开了眼睛，伸出一只手握住了马得草的手。韩雨田握住了邢秋的手，三个人的手沾满了鲜红的血迹。

邢秋那两只黑白分明的大眼睛，流出了一串串的泪水。她断断续续地对韩雨田说："韩——大哥，你——让医院领导，把我——和得草葬——葬在一起。抗战胜利后，你去——我老家，告诉我爹妈和我哥，我——我对不起他们。"

向着太阳走

韩雨田紧紧握着邢秋的手,泪流满面,连连点头说:"护士长,我会的,一定会的。你挺住,挺住啊……"

邢秋微微点头,口里的喘气也一声比一声弱,一声比一声短,还没等战友跑来抢救,便慢慢地闭上了眼睛。

待野战医院的其他医生、护士和一些能动的伤病员围拢过来时,邢秋已经停止了呼吸。

转移还要继续,战友们将马得草和邢秋埋葬在那座还没能抬着韩雨田跑到位的小山包旁。战友们的哭声和清脆的军号声,回荡在天地之间。

军号声是司号员为这对小夫妻吹奏的送行曲。

韩雨田趴在马得草和邢秋的坟前,流着泪喃喃道:"马得草,邢秋护士长,我的生命,将是你们生命的延续,我会好好地为你们活着,为我们的共同目标活着。我要跟着党,跟着队伍,抗日!救国!革命!!"

韩雨田万分悲痛,情不自禁地吟道:

同侪负伤遭毒矢,
战火狂风毁故园。
转移途中惊雷起,
低头默哀报轩辕。
抗日悲情今此时,
冰寒夏酷天地知。
万里国殇泪盆雨,
疼痛觉悟启后人。

韩雨田满身是血,已经分不清是马得草和邢秋的血还是他自己的血了。当医护人员将韩雨田重新抬上担架的时候,才发现韩雨田的右腿也被机关枪的子弹射穿了三个小洞。

马得草和邢秋的牺牲对韩雨田的打击很大，再加上严重的结肠炎和枪伤，他的身体变得越来越虚弱，连吃饭喝水都需要人专门伺候。

院长担心他在转移途中加重病情和伤势，请示韩雨田所在军分区的首长后，决定将他就地就近送到一户老乡家中治伤养病。

韩雨田听伤员说，把伤病员送到老乡家里后，战友们总会挥泪告别。因为对野战部队的军人来说，这种告别也意味着永别。因部队撤离后，日伪军会很快赶来"扫荡"。老乡一旦被日伪军发现收养了八路军伤病员，就会遭遇全家抄斩。如果抓到八路军的伤病员，也会将其杀害。有些伤病员伤势稍有好转，就马上去寻找部队，生怕给老乡家带来杀身之祸。

韩雨田知道自己离开了部队等于失去了依靠，就会像一只离群的鸟儿，生死难卜。他看着医院的领导、医生、护士和前来安抚、送别他的军分区首长，泪流满面，泣不成声。

分区首长对韩雨田说："雨田同志，你是队伍里的知识分子，我们没能照顾好你，心里很愧疚！你到老乡家里要安心养病，早日把病养好了，好上战场打鬼子啊！"

韩雨田本想向首长请求归队，可自己的身体状况实在是心有余而力不足。他几次想坐起来跟首长说说心里话，可使了几次劲儿也没能坐起来，只能躺在担架上含着泪水向首长点点头，表示服从首长的命令。

25

叶家治病养伤　小石山头泪下

临告别时，分区首长将韩雨田在百团大战中缴获的那支德国造大镜面匣子枪正式交还给了他，说："雨田同志，弹匣子里有二十颗子弹，给你防身用吧！"

韩雨田大喜过望，接过这支与他分离了二十多天的大肚匣子，心情十分激动，连连向分区首长表示感谢。

在部队弹药奇缺的情况下，老首长不但把这支先进的手枪给了他，还送给他满满一匣子弹，怎么能不让他万分激动和感激呢！

部队把韩雨田和其他五个伤病员转移到了一个群山环绕的小村庄——叶家庄。叶家庄有五十多户人家，全是忠厚老实的山民，他们不但拥护共产党，而且还特别支持八路军抗日杀敌。

为了伤病员的生命安全，老村长叶世雄特意把六个伤病员安排在信得过、靠得住的六户农家里。为了方便撤离，这六户人家都分居在沟沟岔岔里，一旦鬼子进村"扫荡"，可随时撤到大山里隐蔽起来。

叶世雄听说韩雨田是队伍里的文化人，惜才如命的他便把韩雨田安排到自己家里。一来，可以利用闲暇时间与韩雨田探讨一些抗日救国的大事；二来，还可以跟韩雨田学点文化知识。

叶世雄六十二岁，有三儿两女，大儿子和二儿子都参加了八路军，两个女儿出嫁后都在婆家村里当上了妇救会干部。由此，叶世雄的家庭被村里人称之为"红色之家"。

韩雨田在与叶世雄聊天时得知,叶村长的老伴在三年前的一次日伪军"扫荡"中被杀害,现在家里只剩下他和十九岁的小儿子叶树茂相依为命。叶树茂也参加了叶家村民兵自卫队,整天扛着一杆鸟铳子与村里的十几个自卫队员进行打鬼子演练。

韩雨田住进叶家后,叶世雄把他当成了亲儿子看待。一日三餐自己和儿子只喝一碗高粱面糊糊,吃一个用红薯叶子和野菜做成的菜团子,省下点麦面、小米和玉米面,变着花样给韩雨田做着吃。韩雨田每每拒绝,要和他爷俩吃一样的菜团子,叶世雄便说:"你是八路军的伤病员,多吃点粮食好得快,就能早日重返部队打鬼子。"

除了尽力给韩雨田做好吃、好喝的外,叶世雄还爬山去寻找草药,给韩雨田治疗腿伤和结肠炎。

在偏远的乡村,有很多治疗头疼脑热和小病小灾的土方子。叶世雄用治疗痢疾的土方,到山里采回来七八种草药熬出汤水,韩雨田连续喝了四五天,折磨他两个多月的结肠炎有了明显好转。

叶世雄又上山采回一些草药,做成黑乎乎还带点香味的药膏,抹在韩雨田腿上的伤处,效果也比较明显,溃烂的地方不但不再流脓,而且慢慢地愈合结痂了。

韩雨田在叶家享受到了久违的亲情关怀。

叶家的三间草房和邹家在越南海防市的别墅相比,可谓一个在天堂,一个在地下,可韩雨田住在叶家却感到十分温暖和舒适。叶家的粗茶淡饭,在韩雨田的口中比邹家的山珍海味和西湖龙井还好吃、好喝。在叶家,韩雨田得到了特殊的亲情般的关照。

渐渐地,韩雨田也把叶世雄当成父亲般来敬重,把叶树茂当成自己的亲弟弟,关心着、爱护着,给他讲革命故事。

就在韩雨田快要扔掉拐杖准备下炕行走的时候,日伪军又一次发动了对根据地的"大扫荡"。

向着太阳走

一天早晨，日头还没升到山顶，村子里的炊烟刚刚升起，老村长叶世雄得到了鬼子"扫荡"的消息。他马上组织全村的青壮年，抬的抬，背的背，把韩雨田等六个伤病员转移到了密林里的庙山上。庙山坐落在叶家庄村北，海拔九百多米，是燕山山脉中少有的高山峻岭，因山顶有一座唐代建造的寺庙而得名。历经朝代更迭，寺庙的和尚死的死，亡的亡，香火早已断绝，只余下几间破败的庙舍，孤零零地矗立在被草木簇拥的山头上，冷眼观看着大千世界的沧桑变幻和人世间的生生死死。

叶世雄和儿子叶树茂用门板抬着韩雨田，将他转移到庙山半山腰的一个隐蔽的山洞里。叶世雄吩咐儿子叶树茂趴在洞里，用他的那杆鸟铳子守卫韩雨田的安全。

随后，叶世雄又跑去安置其他伤病员。他向伤病员们保证："只要自卫队员有一人活着，就不让你们掉一根毫毛！"

为了反抗日伪军的"扫荡"，叶家庄的村民提前坚壁清野，把家里的猪羊牛马和鸡鸭鹅等全部藏进树林、沟壑、暗洞中，所有的粮食全部埋进地下。男女老少，分散开来，隐藏在伤病员的周围，以防不测。

午后没多久，百十个日伪军杀进村里，不但没抓到一个八路军伤病员，就连村民和牲口、家禽也不见了踪影。他们搜遍全村，挖地三尺，才找到零零星星的几袋粮食。日军知道村民和八路军伤病员躲进了庙山，便兵分数路，开始"扫荡"庙山。

一队日伪军沿着山坡小道朝山上爬着，渐渐靠近了韩雨田藏身的山洞一带。他们一边搜山，一边喊话。

一个走在队伍前头的汉奸大喊大叫道："藏在庙山里的人听清楚了，赶快出来投降！交出八路军的伤病员和粮食，皇军会放你们一条生路。若抗拒到底，必定格杀勿论！"

韩雨田听到汉奸的叫喊声，迅速抄起手里的匣子枪，趴在洞口的灌木丛前，睁大眼睛观察山洞外的情况。

韩雨田担心拖累了叶世雄爷俩和叶家庄的其他村民，便爬到洞口外，想出去引开日伪军，与他们拼个你死我活。

叶树茂却死死拽住他，不许他动地方。

叶树茂压低声音说："韩干事，你的腿伤还没好，跳不起，跑不动，出了山洞一旦被敌人发现，就是死路一条啊！"

韩雨田对叶树茂说："兄弟，我是八路军，保护老百姓是我的职责。我躲在山洞里，一旦被他们搜索到，你也得跟着我丧命！不行，就是爬，我也要将这队日伪军引开。再说，匣子里有二十发子弹，至少能消灭十几个鬼子！"

"万万不可！部队首长把你托付给我们，我们就要保护好你的安全。除非我死了，叫鬼子踩着我的尸体闯进来把你抓走。否则，不许你爬出洞口！"叶树茂拽住韩雨田的胳膊，又说，"韩干事，不要着急！不到万一，是不能开枪的。"

韩雨田听到山坡上的日伪军距离山洞越来越近，他们噼噼啪啪的脚步声和长枪碰撞在灌木丛上的哗啦哗啦声也越来越清晰。

就在这时，忽然"嘭"地一下，山洞外响起了土枪的射击声。随后，一声接一声的枪响连成一片。

韩雨田趴在山洞前，见叶树茂飞快地在山坡上的树林和灌木丛中蹿跳着，朝山顶的寺庙奔去，引得一队日伪军急匆匆地追赶他。那个汉奸站在几十米外，对着叶树茂的背影大喊着："土八路！土八路！！快抓土八路地干活！"

"叭叭叭……哇哇哇……"各种枪声和呐喊声在庙山回荡起来……

半个时辰过去，二十几个日伪军站在庙前排成一队，带队的日本军官"叽哩哇啦"说了几句，日伪军们端着枪猫着腰，战战兢兢地撤下山去。

安全回到山洞的叶树茂对韩雨田说："鬼子下山了……再等一个时辰，天擦黑时我们就回家。"

太阳即将落山，山洞里昏暗起来，蚊虫也"嗡嗡"地叫个不停。叶树茂提着鸟铳子，站在山洞外观察了一会，回头对韩雨田说："看来鬼子不会回来了，咱们回家吧。"

向着太阳走

说着，叶树茂背起韩雨田走出了山洞。

这时，叶世雄也呼哧呼哧地跑了上来，对韩雨田说："韩干事，可以下山了。"

半路上，叶世雄对叶树茂说："小树，你到前面去探探路，我跟韩干事慢慢走，以防鬼子再杀回马枪。"

叶树茂点点头，放下韩雨田，提着鸟铳子，一边飞快下山，一边回头答应道："好的，爹。我先下去了，如果没有鬼子的动静，我立马就返回来。"

叶世雄弯下身子，催着韩雨田趴在他的后背上。

韩雨田摆手说："大爷，您这么大年纪，怎么能背动我呢？咱俩还是慢慢走吧！"

叶世雄摆手说："韩干事，你瘦成这个样子，还没有一捆柴禾沉，快上来吧！"

叶世雄抓住韩雨田的两只胳膊，把他拽到弯下来的脊背上，顺着山间的羊肠小道，蹒跚着朝山下走去。

韩雨田趴在叶世雄的后背上，看到成串的汗珠顺着他那皱纹纵横的脸颊滚下来，落在那条弯弯曲曲的羊肠小道上。

两人刚走到村口，突然，远处传来密集的枪炮声。

叶世雄侧耳听了听，脸色大变，说："枪声是从小石头山那里传来的，肯定是自卫队跟反扑回来的鬼子交上火了！"

不多会儿，枪声停止了，天也黑了下来。

这时，村子里许多男女老少成群结队地朝着村西的那座小石头山上跑去，几个女人一边跑着，还一边哭着。

"叶大爷，快去问问情况。"

叶世雄没有理睬韩雨田的话，背着他加快了脚步。

进到屋里，叶世雄把韩雨田放在炕上，叮嘱了几句好好待在家里别乱动的话后，就转身出去了。

韩雨田觉得不对劲儿，脑袋如同响了一记炸雷，急忙抄起匣子枪挪到炕下，可还没等他迈腿，就重重地坐在了地上。他腿上的枪伤还没好利索，还不能支撑他瘦弱的身体。

韩雨田憋足力气，爬出草屋，一直爬到村口。见两个中年村民直奔村西，他喊住他们，恳求他们把他背到小石山去。

小石山，顾名思义，就是一座矮小的石头山，光秃秃的几乎寸草不生。

夜幕降临，一轮残月挂在天上，灰蒙蒙的大地令人窒息。尚未走近小石山，韩雨田就听到一阵阵呜咽的哭号声。

背着他的中年村民加快了脚步，一直把他背到高不足百米、方圆不过一千平方米的小石山顶上。

那里挤满了人，高高低低，影影绰绰。悲痛绝望的哭声环绕着小石山，充盈在天地间。

男男女女、老老少少有上百人，围在山顶，跪在那里。

几支松油火把，滋滋地燃起暗红的火苗，笼罩着跪地的人群和中间并排躺着的十二具年轻人的尸体。

韩雨田爬到人群里，从那十二具并排躺着的尸体中，认出了叶树茂。

韩雨田的眼中，已经没有了泪水，只觉着胸腔里涌出一股毁天灭地的悲愤……我要为他们报仇雪恨！

为了保护韩雨田等六个八路军伤病员，叶树茂离开庙山和韩雨田后，与村里的自卫队员们一起，扑向了杀回马枪的日伪军。他再次开枪，吸引他们朝村西的小石山跑去。

小石山光秃秃的，没有任何可以隐藏的掩体，十二个自卫队员靠着五杆土枪、七杆红缨枪，与上百个装备精良的日伪军展开了一场毫无胜负悬念的战斗。最终，他们惨遭杀害，无一幸免。

明知结局必败，可他们却选择了死亡，将生存的机会留给了八路军伤病员和村民，义无反顾地奔向了日伪军的包围圈。

向着太阳走

夜色渐深，哭声未绝。

十二具年轻人的尸体被抬回了叶家庄。

灵堂设在叶家家庙前，油灯和火把照彻了沉沉的黑夜，悲壮哀伤的哭声和震天动地的大杆子喇叭声，伴随着叶家庄的男女老少，一夜无眠。

第二天头晌，韩雨田拄着拐杖一跳一跳地跟随在送葬的队伍里，泪水模糊了他的双眼。

在叶树茂等十二名抗日烈士的祭奠仪式上，韩雨田发表了简短的讲话，他说："乡亲们，这十二条鲜活的生命，是为了保护我们伤病员和全村父老，英勇地倒在了日本鬼子的枪口下。他们的死，是为了众人的生，而众人的生，要为死去的人活。大家只要团结一心，共同抗日，小鬼子的末日马上就到了！"

日出日落，月降月升。

叶树茂等十二位烈士烧过五七，韩雨田终于可以放下拐杖走步了。他决定，先于另外五个伤病员提前归队。

叶世雄为了韩雨田的安全，临走前，把儿子叶树茂留下的一件上衣和自己的一条抿裆裤装在一个布褡子里，又给韩雨田带了几个苞米面饼子。

叶世雄说："韩干事，你穿着这身黄军装赶路，路上多有不便，把这套衣服带上，会用得着的……"

他和村民们把韩雨田送到村口，站在人群前高喊："乡亲们，咱们送韩雨田干事康复归队啦，保佑他一路平安！"

韩雨田单膝跪地，对着乡亲们拱手抱拳，泪流满面道："乡亲们，叶家庄，是我的第二故乡，也是我的再生之地！请各位父老乡亲放心，不赶走日本鬼子，我韩雨田誓不为人！"

在乡亲们依恋不舍的目光中，韩雨田又踏上了新的征程。

26

板荡神州多魅　归队路上逢凶

1943年夏，对于晋察冀边区根据地来说，无论是军事还是经济形势都十分严峻。敌我双方的"扫荡"和反"扫荡"拉锯战，已经处于胶着状态。敌占区和解放区犬牙交错，进退无常，不时变化。在狭小的区域内，往往有双方的据点和卡子。方圆数百里，很难分清哪里是敌占区，哪里是解放区。

韩雨田归队的线路，需要在敌占区和解放区之间反复穿梭。为了安全起见，离开叶家庄后，韩雨田便在路上进行了简单化妆。他换上了叶树茂平时穿的那件土布短褂和叶世雄的黑色破夹裤，脑袋上包了一条羊肚手巾，再加上他还没有完全康复的身体，看上去果真貌似一个晋察冀边区的老百姓。

那支德国造的大镜面匣子枪插在腰间，鼓鼓囊囊的有些显眼，他便把它放进了肩膀上搭的那个盛干粮的布褡子里，觉得安全了才上路。

韩雨田打探着军分区总部的转战行踪，昼夜赶路。

一天傍晚，韩雨田经过一个不知名的小镇时，跟刚刚占领了该镇的伪军巡逻队迎面对上了。

"站住！出示良民证！"带头的伪军朝他大声喝道。

韩雨田看看左右环境，伸出手佯装从肩上的布褡子里掏良民证，呼地将匣子枪抽了出来。

对面的十来个伪军还没明白咋回事，韩雨田手中的枪便"砰砰砰"地响了三声！

向着太阳走

三四个伪军被击倒在地，剩下的全趴在地上，扯开嗓门喊叫起来。韩雨田撒开大步，朝镇子旁边的庄稼地里跑去。

趴在地上的伪军见韩雨田转身钻进没人高的庄稼地里，急忙爬起来，一边喊"抓八路"，一边"砰砰砰"地乱开枪。

一颗子弹贴着韩雨田上身"嗖"地划过，他觉得一股灼热的风热辣辣地掠过了臂膀。那一刻，韩雨田感到了死神的威胁。

为了不被子弹射中，韩雨田想转身趴在地上，再消灭几个伪军，可他又怕自己只有一把枪，子弹也快打光了，到最后只能束手就擒，把命交给敌人。

韩雨田在奔跑中回身开了两枪，打倒一个伪军后，其他伪军又趴在了地上，哗啦哗啦地拉枪栓上子弹，胡乱开枪……

这时，远处的街道上已经出现了众多日伪军，他们喊叫着朝庄稼地的方向跑来。

韩雨田大致算了一下，匣子里还剩下五六颗子弹，若是继续对抗下去必死无疑。于是，他顺着垄沟，拼命地朝前跑去。

大病初愈，腿脚尚未完全好利索的韩雨田蹿出庄稼地后，又朝镇子西边的一片树林跑去，身后的枪声"砰砰砰"地不断响着。

终于，韩雨田跑进了树林里。这是一片杨树林，林中没有灌木，树与树之间相隔一两米，低矮的草丛难以藏身，韩雨田只能继续往前跑。直到跑得他喘不过气儿来，才摆脱了日伪军的追捕。

日头落山了，天色渐渐朦胧起来，韩雨田寻到一个被山水冲刷出来的土窝窝。这个土窝窝上大下小，或躺或坐都不容易被人发现。

此时的韩雨田已经精疲力竭，饥肠辘辘，胸中像燃起一团火，燥得他抓心挠肝。他从布褡子里掏出一个苞米饼子，咬一口咀嚼一会儿，那苞米饼子像一盘散沙，在嘴里翻转着咽不下去。是啊！跑了半下晌，弄得口干舌燥，连口润喉的水都没有，怎么能咽得下干巴巴的苞米饼子呢？他瞅瞅周围，见不远处有一棵杏树，树上有一串串半生不熟的杏子垂下来，他起身摘了半布褡子，又返回土窝窝,就着杏子才将一个苞米饼子塞进肚里。

天黑透了,韩雨田这才放心地蜷在土窝窝里睡觉。

他太累、太困了,再怎么恶劣的环境也无法阻挡瞌睡虫发起的进攻。有那么片刻,他甚至想一睡不起,离开这个世界。躺下没多时,他就昏昏沉沉地睡了过去。

这一夜,韩雨田梦到了父母,梦到了马得草和邢秋,还梦到了叶树茂和那十一位牺牲的自卫队员。在梦中,父亲邹海成对他说:"文岳儿,路是你自己选的,苦也得自己吃。不但现在吃,还要继续吃。你爷爷活着时,总对爸爸说,不吃苦中苦,哪来甜上甜啊!"

母亲阮氏桂也在梦里对韩雨田说:"儿啊,你爸爸说得对,罪是人受的,苦是人吃的。既然选择了共产党,就要一步一步往前走,千万别半途而废呀。你走后,妈妈每天都在给观世音菩萨上香磕头,祈求她保佑你平安归来。儿,有观世音菩萨保佑,你一定会平安归来的。"

梦里出现邢秋给韩雨田喂着药,说着马得草在阵地上抢救伤员的情景。邢秋说:"上了战场,得草就东奔西跑地忙活起来,他身体好,一次能背两个伤员。从阵地上下来,还要汗流满面地给伤员清洗伤口。有时伤员多,经常连轴转。"

这时,马得草也悄悄走进梦里来,对邢秋说:"少表扬多批评,我干的那点事儿都不如你的小手指肚大。雨田,你这个弟妹可是女中豪杰,上了战场比我还虎,战友们都称她'铁娘子'呢!"

……

一阵清脆的鸟叫声,把睡梦里的韩雨田吵醒。他睁开眼睛瞅瞅,日头已经拱出山头。他一骨碌坐起来,觉得浑身瘙痒,仔细一看,胳膊和小腿上被蚊子咬出了大大小小的红疙瘩。伸手往脸上摸了几下,也是疙疙瘩瘩的一片。他心说:这也好,这番模样,更像地道的农民大叔了。

韩雨田想起了夜里的梦境,喃喃自语道:"我这条命,已经不属于我了。马得草、邢秋、叶树茂他们的命,寄托在我身上呢!"

向着太阳走

　　韩雨田狠劲揉了揉眼睛,又翻腾出布褡子里的杏子,就着苞米饼子吃起来。吃完后,站起身活动几下腿脚,又朝着初升的太阳走去。

　　远远看去,韩雨田走在万道霞光里,就像一个从天而降的远古神祇,破烂衣衫却没能遮掩住他身上迸射出来的光芒。

　　走,不断地走……虽然路上又遇到几个日伪军的岗楼和卡子,但凭着机智,或装扮成讨饭的乞丐,或装扮成弯腰驼背的老头儿,韩雨田一次次地闯过了敌人的关卡。

　　一天,韩雨田走到距日军岗楼一百多米远时,发现好多行人被哨兵堵在岗楼前排查。他想,自己身上背着大匣子枪,想逃过这个关口恐怕是难事。

　　就在一筹莫展之时,韩雨田发现从远处涌来一群羊,他急忙走上前跟羊倌儿搭讪起来。

　　羊倌是个老实厚道的老头,见韩雨田有求于他,一扬手说:"有事就说,若能帮上你,俺凭啥不帮?"

　　韩雨田跟大爷说了个来龙去脉,最后说:"大爷,我想把枪绑在羊肚子底下,你看中不?"

　　羊倌大爷思忖片刻,说:"好!俺把羊圈拢过来,你把匣子枪系在羊肚子底下,鬼子保准发现不了。"

　　大爷把羊圈在一起,又抓住一只毛长的公羊,韩雨田把德国造大肚匣子枪掏出来,摘下包头的羊肚手巾,将枪包缠好后,又用大爷系腰的麻绳,把其绑在羊肚子底下。

　　韩雨田又把自己打扮整理了一番,从地上捡起一根木棍,弯下腰跟大爷一起,赶着羊群朝岗楼走去。

　　到了岗楼前,一日军抬起拦路的栏杆,让羊群通过后,又检查了韩雨田和大爷的身上,发现除了布褡子里的两个苞米饼子外,再没有多余的东西,便"哟西"一声,把两人放行。

　　过了岗楼,羊倌大爷悄声对韩雨田说:"大侄子,你这主意真够绝了,别说一支大匣子，就是十支二十支也能蒙混过关呢！"

韩雨田苦笑道："大爷，刚才火烧眉毛，我也是急中生出点智慧。起初觉得把布褡子搭在羊肩上或许侥幸能通过，但有'此地无银三百两'之嫌，肯定会被鬼子发现，反过来又一想，才想出了这么个主意。"

大爷瞅瞅日头，说："大侄子，快落日头了，若不嫌弃，就到俺家住一夜吧，俺们老两口也没外人，清静着呢！"

韩雨田拱手说："大爷，侄子还巴不得呢，哪有嫌弃的份啊！"

大爷、大娘很是热情，从水井里提出一只羊腿，烀了个滚瓜烂熟，让韩雨田美美地饱餐了一顿。

半个月之后，韩雨田终于找到了晋察冀军区第四军分区司令部驻地。当他向司令员报到时，再也控制不住高兴的泪水⋯⋯

司令员紧紧握着他的手说："雨田同志，你总算回来了！部队真的很需要你啊！"

韩雨田哽咽道："首长，我⋯⋯我这条命，是我的战友马得草、邢秋和叶家庄叶树茂等十二个自卫队员换来的，怎么能不回来呢？！"

接着，韩雨田向司令员详细地汇报了他在叶家庄养病期间的情况。当他说到叶树茂和十一个自卫队员为了掩护他们六个八路军伤病员，把进村"扫荡"的日伪军引到了光秃秃的小石山上、最终全部战死的情景时，已是泪流满面。

司令员轻轻地拍着韩雨田的肩膀，安抚他说："雨田同志，他们是为抗日牺牲的，值得我们每个活着的人永远纪念！咱们活着的人，要化悲痛为力量，更加积极地投入抗日战争中去，继承他们的遗愿，早日把日本鬼子打出中国去！"

韩雨田点点头说："首长，我会牢记您的教导！这些天在路上，我一直在思考，革命烈士的生命已经延续到我的身上。我背负着他们的生命，一定会坚定地跟着党，为抗日战争的胜利，为人民的幸福和自由奉献我的一生！"

"好！雨田同志，我就欣赏你的坚定立场！"

向着太阳走

司令员再次握住韩雨田的手,一边摇晃着,一边吩咐伙房做几个好菜,说要陪着韩雨田喝两杯红薯老酒,给他接风洗尘。

韩雨田三个多月的离队经历,就像做了一场梦。经过这场梦,他觉得自己的革命意志更加坚定了。饭后,司令员又陪着韩雨田天南地北地聊了好长时间。

韩雨田发现司令员不时地瞅他一眼,沉默一会儿,像是有话要说又难于开口的样子。

韩雨田试探着问司令员:"首长,您是不是有话对我说?我归队了,如果有新的任务,请交给我好了!"

司令员抿嘴笑了笑,思忖片刻说:"雨田同志,你是一位很难得的知识青年。无论在部队,还是在地方政府,都有许多重要岗位需要你这样的青年才俊。眼下,抗日战争最艰难的阶段已经过去,世界反法西斯形势一片大好,八路军和新四军正酝酿对日伪军的大反攻,日本帝国主义败亡的结局已经指日可待了。我党已开始考虑抗战胜利后的国家大计。国民党的本质,决定了它难以与我党在抗战胜利后继续合作下去。可以预见,驱逐日寇后,国共两党仍会水火不容。我党要掌握政权,要建立一个新中国,这是毋庸置疑的。战争结束,和平年代开始,我们的主要任务就是发展经济。工业、农业、商业,各种社会经济活动都需要大量的专业人才啊!"

说到这里,司令员喝了一口水,润润嗓子,又看了韩雨田一眼,继续说:"为了迎接新的时代,我党决定,要加紧培养一批年轻的金融人才。前几天,军分区接到上级通知,要我们选派一名同志,加入第一批金融人才队伍里,去晋察冀边区银行工作。这几天,各部队选拔了十几个人,他们的学历都不符合上级要求。宋政委对我说,政治部查阅了你的档案,知道你多年前曾在广东勤勤商学院学过银行专业。另外,你在涞水县农会工作时,曾配合晋察冀边区银行统计涞水县农村贫困户和需要贷款的农户的数据,并在七天之内将涞水县数十万春耕贷款全部发放到位,还受到过县政府的嘉奖。我当时对宋政委说,你正在叶家庄养病,恐怕一年半载不能归队。哈哈……我和宋政委正犯愁呢,没想到你归队了,这可给我解决了一个大难题啊!哈哈……我想把你报上去,中不?"

"啊?!"韩雨田惊讶地叫了一声。虽然心里早有准备,归队后岗位肯定有变动,可万万没有想到会从战斗部队调到地方银行工作,这样大的变化着实让韩雨田大吃一惊……

27

军人令行禁止　转业银行称能

司令员的话让韩雨田大吃一惊,真是恍若梦中!六年前,他从中央党校毕业,怀着满腔热情来到晋察冀边区,到八路军队伍里报到。当时,本以为只要参加了革命队伍,就可以拿起刀枪与日本鬼子面对面地拼杀了,所以他苦练射击本领。可万万没想到,司令员一直说他是有知识、有文化的宝贝疙瘩,便派他去了平西根据地做农会工作。

后来又调回部队当了文化宣传干事,虽然亲临前线拼杀的机会不多,好歹也成为一名战斗部队的人员,可以跟随部队上前线打鬼子。

这次养病后归队,韩雨田曾预料到工作上会有变动,却没料到会被首长调到晋察冀边区银行当职员。

这和韩雨田在归队路上所憧憬的相差十万八千里,也和他从越南海防市千里迢迢奔赴延安的初衷大相径庭。韩雨田想到抗日一线与日寇作战的梦想已经成为泡影。

韩雨田瞅瞅司令员,小声说:"首长,我从延安到晋察冀边区时,您让我去平西农会工作,曾对我说过一番话。"

司令员听了一愣,问:"哦,我说过什么话?"

韩雨田咽口唾沫,怯怯道:"您说,大家来自五湖四海,都是为了抗日,可抗日也有不同的分工,即便在作战部队,也要按照战士的具体情况,人尽其才。您说我有文化、有知识,应该去做需要文化、知识的工作。您还说,作为一名共产党员,要一切服从组织分配,作为一名八路军战士,要一切听从上级指挥。当时,我虽然想留在八路军队伍里,真刀实枪地和日本侵略者战斗,但听了您的话,我还是义无反顾地去了平西。"

司令员笑道:"小鬼,你在平西工作得很出色嘛。不但神枪震慑土匪,扬名立万,还把农会组织全部建立了起来……"

韩雨田打断司令员的话说:"首长,那时我到平西工作,还仍然是八路军中的一员,仍然是一名抗日战士。可现在,您让我去晋察冀边区银行工作,怎么说……也算不上抗日战士了。"

司令员笑了笑,说:"雨田同志,我还想重复当年对你说的那番话,大家来自五湖四海,都是为了抗日,可抗日也有不同的分工。现在,我们的党、我们的军队,要把你培养成金融人才,当一个红色的银行人,这也是抗日嘛!俗话说,好钢要用在刀刃上。你呢,就是一块好钢,而现在的晋察冀边区银行,就是抗日这把刀上的刀刃!这刀刃,看似没有砍日寇脑袋时那样威风,却是在为八路军和地方部队筹集军费呀!可以说,银行是我党抗日军民的经济命脉,也是我党未来建设新中国的重要基础。雨田同志,你说这项工作是不是比上战场打鬼子重要啊?"

司令员笑了笑又说:"雨田同志,你刚才也说了,还记得我说过的那句话,作为一名共产党员、一名八路军战士,就要听党的话,服从上级领导的决定!"

司令员的眼神越过韩雨田,仿佛在眺望远方,继续说:"我们都是共产党员和革命战士,应该知道,对于我们党来说,对于我们的革命军队来说,抗日救国只是一个阶段性任务。而坚持革命,坚持共产主义,建设一个新中国,才是我们的最终目标!对于这样一个目标,金融工作就显得极为重要。能肩负起这项工作,成为一名红色银行人,是无上光荣的……"

韩雨田看到司令员庄重的神情和他眼神里的殷切希望,慢慢地低下头,喃喃道:"首长,对不起,我——我想得太狭隘了,只考虑个人的愿望和一腔热血,没有从党的大局出发,没有看到我们党和我们军队的远大目标,没有认识到银

向着太阳走

行工作在抗日战争中的重要作用……首长,您——批评我吧!"

司令员拍拍韩雨田的肩膀,笑道:"雨田同志,你能认识到银行工作的重要性,组织上就放心了。不过,你要记住,我党培养的金融人才不是那种旧银行的人,我党的金融,是红色的金融!我党的银行人,更是红色的银行人!"

"首长,我一定服从组织分配,接受党的培养!"韩雨田坚定地给司令员打了个标准的军礼。

看到韩雨田解开了心结,司令员又说:"雨田同志,早早休息,睡个好觉,明天我派警卫营的同志送你到河北阜平县大东沟的晋察冀边区银行。"

韩雨田为了早日归队,从叶家庄出发,连续二十几个昼夜翻山越岭,一路艰难跋涉,实在太累了。送别了司令员,回到宿舍简单洗漱一下,躺在炕上很快进入了梦乡。

第二天早晨,韩雨田一觉醒来时,军分区警卫营的官兵已经在操场上跑操了。他站在门外,眺望着山麓上那轮红彤彤的朝阳,心里有激动,也有沉重。心说:今天将走上新的工作岗位了,我韩雨田会不会辜负首长的期望呢?

韩雨田想到昨天晚上司令员跟他说的那个新词儿"红色银行人",此时已经深深地印在了他的脑海。他攥紧拳头,暗下决心:一定不辜负首长的期望,不辜负党的教育培养,争取做一个红色银行人,为抗日战争的胜利,为建设新中国作出自己应有的贡献!

吃过早饭后,司令员和分区宋政委亲自来为韩雨田送行。同来的,还有他认识的警卫营宋连长。宋连长武装整齐,牵着两匹黑色的高头大马,见到韩雨田就快步上前与他拥抱,一边拍打着他的后背,一边大笑:"哈哈……毙敌冠军,没想到,咱们又见面了!"

司令员上前说:"雨田同志,宋连长的老家在阜平县,离晋察冀边区银行所在地大东沟很近。听说要挑选一个熟悉路线的同志护送你去大东沟,宋连长便自告奋勇地来了。"

宋连长牵来的那匹高头大马,是司令员亲自吩咐分区骑兵团团长挑选给韩雨田的坐骑。

韩雨田知道，马匹对于骑兵团来说十分重要，他连连推辞说："司令员，步行就可以了，为啥要动用战马呢？"

司令员摆摆手说："你大病初愈，腿伤还没好利索，再加上报到的时间比较紧，若骑马赶路，今儿天黑之前就能到达。"

宋连长打趣韩雨田说："哈哈……毙敌冠军，是不是没骑过马，怕它尥蹶子啊？"

韩雨田瞅瞅那两匹大黑马，跟宋连长开玩笑说："宋连长，我的骑马技术，比枪法还好呢！不信，咱俩在路上比试比试吧！"

说起赛马，韩雨田还真能和宋连长比试比试。那年，离开川东达子镇，被国军抓到训练队里，军训课程就有骑马的项目。他和马得草、李新生不知赛过多少回，他俩都甘拜下风。另外，韩雨田还曾独自一人骑马探寻过奔向延安的路线。

启程前，韩雨田将那支德国大镜面匣子枪交给了司令员。他说，既然离开了作战部队，这支枪也该上交组织了。

司令员推拒道："这支枪是你缴获的战利品，也是你荣誉的象征，我代表军分区就将这支枪奖励给你了。日后，你或许还能用得着，怎么能收回来呢？"

韩雨田给司令员打个军礼，说："首长，您昨天晚上说过，好钢要用在刀刃上。这支枪，就是好钢，应该用在作战部队这个刀刃上。咱们的队伍装备差，连排干部还没有手枪，我上交这支枪，希望战友们用它消灭更多的敌人！"

司令员沉默片刻，点点头说："也好！在边区银行工作确实不需要武器了，这支枪放在你手里是有点浪费。这样吧，你先带着它，路上防身。到了大东沟银行，再把它交给宋连长。这支枪，以后就是宋连长的配枪了。"

"啊？！首长，您要把这支德国造的大匣子交给我？！"

宋连长惊喜地叫起来，目光灼灼地盯着韩雨田手里的枪。

司令员笑笑说:"看把你高兴的!这支枪,是雨田同志从日本鬼子那里缴获的战利品,希望到了你的手上,能发挥更大的战斗力。"

　　宋连长急忙说:"谢谢司令员!谢谢雨田同志!"

　　韩雨田和宋连长翻身上马,司令员向他们招手说:"路上注意安全!再见!"

　　韩雨田和宋连长骑在马上,同时给司令员和宋政委打了个军礼。

　　"驾——"宋连长一挥马鞭,那马像通了人性一样,朝着边区银行的方向疾驰而去。

　　韩雨田伏在马背上,双手抖着马缰绳,策马奔腾穿梭于山峦丘陵,那"嘚嘚嘚"的马蹄声回荡在阳光灿烂的天地之间,如同绝美的协奏曲。

　　为了尽快赶到阜平大东沟,韩雨田和宋连长顾不得吃中午饭,一直马不停蹄地赶路。午后过半,两人就进入了阜平县境内。

　　阜平县地处河北省保定市西部,太行山北部东麓,大清河水系沙河上游,是河北和山西两省交汇处,北距北京二百七十五公里,南距石家庄一百一十公里,西距佛教圣地五台山七十八公里,东距古城保定一百四十公里,被誉为"冀晋咽喉""畿西屏障"。

　　金乌西坠,天色将暗,宋连长驾驭着大黑马,沿着崎岖的山路前行。随着战马进入连绵不绝的山峦深处,他指着一个朦朦胧胧的小村庄说:"雨田同志,那个村,就是我的老家。"

　　"啊?!"韩雨田立即勒住大黑马,顺着宋连长指的方向看去,一座座简陋矮小的茅草屋,散落在山脚的沟壑边。

　　宋连长没有停马,回头对韩雨田说:"我们村的名字叫埠前夼,三十多户人家,全都姓宋。"

　　韩雨田拽住宋连长的马缰绳说:"宋连长,已经到家门口了,你回家看看吧?"

　　宋连长摇头说:"算了吧!时间太紧,把你送到大东沟银行,我还得连夜赶回军分区呢!"

"宋连长，你顺路回去看一眼父母和兄弟姐妹，最多耽误一个时辰。难道你要学大禹，三过家门而不入吗？"

宋连长叹口气说："我没上过学，不知道你说的那个大禹是谁，也不知道他为什么三过家门而不入。而我呢，是想等抗战胜利了，再回埠前岙多住几天，孝敬孝敬我的爹娘。"

天色完全黑了下来，宋连长带着韩雨田终于赶到了大东沟，见到了晋察冀边区银行的经理关学文。

关学文是晋察冀边区银行的创始人和主要领导人，早年参加过东北军，在东北军主要从事军需工作。九一八事变后，担任过691团军需官。他为人正直，工作细腻，善于理财，深得团长吕正操的赏识。1937年冬，关学文奉命组建晋察冀边区银行，直至担任了晋察冀边区银行的经理。

晋察冀边区银行总部在一个四合院里，这座黑瓦青砖的大房子是当地一个地主老财的宅院。1937年日军占领了阜平县城，大财主扔下房产土地，携带家人和金银细软，逃亡到了南方亲戚家。边区政府按照我党的抗日统一阵线政策，向那个大财主的本家租下了这处宅院，给晋察冀边区银行作了办公场所。

关学文和晋察冀边区银行庶务股股长牛得力，带着提前报到的八个学员去吃晚饭。韩雨田走上前，把军分区写的介绍信递给了关学文。关学文看过介绍信后，紧紧握着韩雨田的手，连声说："欢迎！欢迎！雨田同志，你来了后这期学员就全部到齐了。明天，咱们就可以培训了。"

关学文松开韩雨田的手，带着赞赏的口吻对牛得力说："牛股长，雨田同志是中学学历，曾在陕北公学和延安中央党校学习过，是难得的革命知识分子啊！别看他年轻，党龄比我还长呢！民国二十六年七月，他从越南海防市的富商家庭逃出来，带着几个同学不远万里奔赴延安，参加了革命队伍！"

牛得力和关学文都是四十多岁的中年人，从相貌上看，牛得力要比关学文大几岁。听到关学文的介绍，牛得力主动伸出手与韩雨田握了握手，说："哦——欢迎你，小韩同志！"

向着太阳走

关学文挽留宋连长吃饭、住一夜再走。可宋连长说他不是一名普通战士,是一连之长,肩负着保卫军分区机关和首长的安全,必须立即赶回去。于是,他连晚饭都没顾得上吃,就将两匹大黑马拴在一起,带上韩雨田交给他的那支德国造大镜面匣子枪,向大家挥手告别,连夜返回了军分区驻地。

看着隐没在夜色中的人和马,宋大山这个名字已被韩雨田深深地刻在了心中。

在大宅院的伙房里,关学文吩咐炊事员炖了一只警卫队战士猎到的山兔子,说是为了迎接韩雨田而多加了一道荤菜。

关学文一边吃饭,一边向韩雨田介绍另外八位学员。他们是六男两女,年龄最大的魏国梁三十三岁,北京大学毕业,早年在国民党甘肃省政府工作,一年前投奔延安,被分配到陕甘宁政府财务科,年初加入了中国共产党。年龄最小的是一位漂亮的女青年,二十岁,叫隋晓梅,出身于苏州织造富商家庭,两个月前在国立西南联合大学一年级退学,从重庆的北碚来到延安,参加了革命队伍。八人当中,除了隋晓梅和韩雨田,其他人都是大学毕业生,均由北大、清华、复旦、南开等名牌大学毕业。从这些人的学历不难看出,中国共产党对红色金融人才的培养是多么重视,而且挑选人才的标准又是多么严格!

拥有越南海防市华侨中学学历,并在陕北公学和延安中央党校毕业的韩雨田,成了九人中学历最低的一个。

在关学文的介绍中,韩雨田注意到一个二十三岁的男学员。这个男学员叫程应松,毕业于国立西南联合大学,1942年初到达延安。他和隋晓梅是苏州老乡,不过,程应松出身于市民家庭,父母都是普通的私营公司职员。除了身材窈窕、模样俊俏的隋晓梅外,无论关学文介绍到谁,这个程应松都是一脸的冷漠,显得特别傲气。甚至,当他听关学文介绍到韩雨田的情况时,鼻子里还发出微微的"哼"声,似乎没瞧得起这个只读过华侨中学的韩雨田。

关学文分别介绍完每个人的情况后,又说:"从明天开始,你们九个人组成一个小组,先培训五天,由几位银行领导给大家讲解有关经济、金融、银行业务等课程。培训结束后，根据各人的学习考核情况，再分配具体工作。在这五天时间里，大家要和银行的同志一样，接受军事化管理，早、中、晚定时作息。"

关学文最后说，虽然培训时间很短，但大家也要组织化、正规化，小组要有负责人。他接着宣布，牛得力作为银行庶务科的科长，由他担任培训小组的小组长，副组长由韩雨田担任。组长负责大家的日常生活管理，副组长协助组长负责每天的上课、自习、讨论、考勤等。

听到韩雨田被委任为副组长，其他学员都向他热烈鼓掌表示祝贺，唯有程应松带着满脸的嫉妒和不服，盯着韩雨田嘀咕道："真是不可思议啊，让一个中学生领导大学生！"

晚饭后，牛得力给每个学员发了一份油印的作息时间表，还发放了牙缸、牙刷、毛巾、笔等生活学习必需品和每人两块钱的月度补助费。

两个女学员和总行原有的五位女同志，住在比较宽敞的西厢房里，韩雨田和六位男学员住进了西耳房。

盛夏的阜平，矮小狭窄的耳房像个大蒸笼，闷热难耐。

程应松不满地把行李扔到炕上嘀咕了一句，便躺下睡了。

很快，西耳房的大土炕上便响起了一片呼噜声。

第二天早晨五点，天刚蒙蒙亮，大宅院里响起了起床的军号声。培训小组的九个学员和所有晋察冀边区银行的人员随即起床，如厕，洗漱，十分钟后跑到大门外，与警卫队的战士排成两个纵队，沿着山路开始跑早操。

六点半，返回大宅院吃早饭，七点钟正式开始培训。

教室安排在东厢房关学文的经理室。那间房子比较大，里面只有一张旧楸木三抽桌和一把刚用槐木打造的椅子，那是关学文的办公桌和座椅。大家面向关学文的办公桌，席地而坐。地面的凉气，可稍稍缓解一下盛夏的燥热。

按照作息表，当天上午是理论课，由关学文讲授，分两节。第一节是中华苏维埃共和国国家银行的历史，第二节是晋察冀边区概况和晋察冀边区银行组建之必要。

下午,由牛得力和韩雨田带领学员参观晋察冀边区银行总部和银行重地——金库。

关学文不但有很强的理论基础,还有实践经验。听他讲课就像听故事一样精彩,让韩雨田茅塞顿开,受益匪浅。

通过关学文的授课,韩雨田对共产党领导下的红色金融史和晋察冀边区银行,有了全面的了解和清晰的认识。

关学文讲课中说,红军时期中华苏维埃国家银行建立之初,面临的最大难题是没有启动资金,其财政来源主要以战争中缴获的物资为主。每逢红军有重大作战行动,国家银行都会组织征收委员会,随部队到前方筹集粮款。

1932年,毛泽东指挥漳州战役大捷后,中华苏维埃国家银行行长毛泽民也随军来到漳州。他走街串巷,积极找商人谈话,宣传红军的政策,希望商人们与红军保持贸易联系,互通有无。同时,国家银行在漳州城颁布了有关没收和征集的布告,红军不没收商店,但接受商店老板的捐款。这一政策受到漳州大小商户的拥护,纷纷捐款。红军不仅得到了大批军用物资,国家银行的资金也有了着落。

关学文说,建行伊始,可谓一穷二白,不但没有启动资金,业务人员连账都不知道怎样记。一次,前线部队送来一批缴获的现洋,工作人员发现,现洋的包封纸上竟然有国民党税务机关的四联单。

毛泽民如获至宝,随即对四联单进行了认真分析、研究,从中得到启发,对金库制度和流程进行了改进,并制定了银行金库管理办法。这样,金库资金的收款方、管理方(国家金库)、使用方和支配方都有了相应的记录,保证了财务制度的严谨程序,有效杜绝了各级政府和军队的贪污浪费。

从四联单得到启发后,国家银行立刻发出通知,要求红军各部门注意收集国民党有关财政、银行、企业管理等方面的书籍、文件、账簿、单据、报表等实物,作为国家银行之参考依据。

韩雨田一边听课，一边做笔记。应该说，他在广东勷勤商学院学过银行专业，对银行业务并不陌生，但他着力思考的是如何把所学专业知识运用到实际工作中，在业务上为领导当好参谋……

28

前辈艰苦创业　筚路蓝缕开山

关学文讲到，随着各种制度的建立和完善，国家银行也迅速运转起来。

根据地还处于经济落后的农村，尚无工业，只有分散的个体农业和少数的小手工业。频繁的战争，加上国民党日益强化的经济封锁，保证财政收支平衡极其困难。

苏维埃国家银行成立之前，各种各样的杂钞劣币充斥市场，使得银元流通甚少。根据地流通的货币有多种，像江西工农银行的铜元券、闽西工农银行的银元券，还有光洋和国民党的纸币，甚至有清朝时期的铜板。人们购买物品，抓一把各式各样的票子出来，有时连账都算不清。不仅老百姓头疼，商家也不胜其烦。

有些红军战士思想单纯，认为革命战士不用国民党的钞票，把在战场上缴获的国民党现钞全都焚烧掉了，甚至不知道这些钞票在国民党统治区可以买到许多苏区奇缺的物资，比如食盐、大米等。而国民党的法币、军阀和土豪劣绅发行的杂币，也同时在苏区流通，无疑给国民党提供了破坏苏区金融市场的机会。

设计和绘制、印刷中华苏维埃国家银行的纸币，成了当务之急。当时准备聘用曾在日本留学后回国的黄亚光搞设计，他不仅写得一手好字，还会绘画。国家银行领导得知后，认为黄亚光确实有绘画才能，但他在席卷闽西的"肃社党"运动中，被定为社会民主党分子关进了监狱。毛泽民向毛泽东汇报，毛泽东考虑再三，决定冒风险刀下救人，亲自批准让黄亚光戴罪立功。

当时，苏区正在国民党的严厉封锁之中，工作条件很差。黄亚光连绘图用的笔和圆规都没有，加上又无设计货币的经验，可谓困难重重。毛泽民从上海秘密买来绘图笔、圆规、油墨和铜版纸等，黄亚光仅凭自己对一些钞票的记忆，开始了货币图案的设计工作。

在设计货币图案过程中，毛泽东要求苏维埃政府的货币设计要体现工农政权的特征。因此，黄亚光在设计货币时均绘有镰刀、锤子、地图、五角星等图案，并把这些图案有机组合起来，既美观大方，又突出了中国共产党领导下的货币特点。

他原本想在纸币上绘制毛泽东头像，但被毛泽东严厉拒绝，后来改成了列宁头像。黄亚光临摹红色书刊上的列宁头像，代表苏区人民在马列主义指导下改天换地的新气象。

在克服了资金、设计、印刷钞票等种种困难后，苏维埃国家银行在1932年7月7日，即国家银行成立五个月后，终于印制出第一批苏区纸币。货币是以银元为本位，纸币分为银币券，一元银币券兑换一银元，银币券为国币。有了统一的货币，国家银行会同苏区财政部门宣布，一切交易和纳税均按国币计算，国民党的纸币禁止流通，原苏区银行发行的货币按比例限期收回，不再使用。

国家银行除了发行纸币外，还发行了银币和铜币。当时国家银行中央造币厂还铸造了可在中央革命根据地内外流通的"袁大头""孙小头"以及墨西哥的"鹰洋"三种银币。国家银行逐步回收了各种杂币，使中央苏区的红色货币实现了统一，成为苏区经济交易活动中的唯一等价物。

关学文说，为了控制纸币的发行量，苏维埃国家银行《暂行章程》第十条还规定："发行纸币，至少须有十分之三之现金，或贵重金属，或外国货币为现金准备，其余应以易于变售之货物或短期汇票，或他种证券为保证准备。"这样，既保证了货币有足够的现金作抵押，又能充分实现货币的有效扩张。

在长征途中，红军使用的是中华苏维埃国家银行发行的纸币。为使红军指

向着太阳走

战员在长征途中用国家银行纸币购买生活必需品和及时补充部队给养,而又不使当地群众受到损失,银行工作人员每到一个休整的地方还要紧张地发行国家银行纸币,在离开时又要用当地紧缺的物资和银元从当地人民群众手中将发行出去的国家银行纸币收回来。长征途中先后在贵州的遵义、桐梓和川西的冕宁等地,共发行了四次国家银行纸币。

在关学文所讲的中华苏维埃国家银行的历史中,让韩雨田牢记心头的是行长毛泽民亲力亲为的一些小故事。

中华苏维埃国家银行发行第一套纸币时,由于条件限制,在制造技术与防伪技术上都是空白。为了能够做到最大限度的防伪,毛泽民采用在纸币上加签他和财政部长邓子恢的俄文签名的办法,但这个方法非常容易被模仿。随着货币的流通,国民党与军阀开始各种破坏活动,输入了大量的假币,对苏区金融秩序进行破坏。

为了解决防伪问题,毛泽民冥思苦想,始终找不到更好的解决办法。一天晚上,他闻到妻子织毛衣时用火烧毛线头时所发出的臭味,于是突发奇想:在造纸时将一定数量的羊毛放到纸张中,这样既可以透视纸币鉴别,又可以撕开用火烧纸币,通过嗅到一种羊毛的臭味来辨别苏区货币的真伪。这样,才保证了货币在苏区的正常流通,一举肃清了昔日货币市场的混乱。

就这样,国家银行的创建者们经过了无数次的风风雨雨,凭着坚定的信念和顽强的意志,充分发挥了聪明才智,牢牢地抓住了钱袋子。

国家银行存款与信贷工作齐头并进,在吸收存款步入正轨后,国营工矿、手工联营、耕田农民、个体商户均成为国家银行的放款对象。根据地各行各业的手工业生产合作社也迅速兴起,造纸、织布、铁器、榨油、砖匠等行业得到了国家银行的资金支持。尽管国民党在外面层层封锁,但中央苏区百业俱兴。

整个土地革命时期,金融组织已经向国家银行集中统一发展。国家银行这种初步的组织体系以及内部的架构设计,成为后来中国人民银行的雏形。而且,国家银行培养的大批骨干力量一部分随红军长征到达了陕北,成为新中国金融行业的一支生力军和战斗队。

为了把在漳州筹集来的部分资金储存起来，国家银行决定建立一个秘密金库。他们在瑞金的石城县烂泥垄村找到了一个靠山的房子，在紧靠房后的山坡上开有一个地窖。这个地窖空间不大，但十分干燥。而且地窖前的这座房子，既可以掩护，又可以派人看守。

国家银行将金库选在此处之后，为了保密，存库那天没有使用国家银行的工作人员，而是由部队的战士提前用麻布包裹好，放在五个挑担里。秘密放入金库的有金条、金器、金饰等。另有二十担银元和银元宝也提前包裹好，还有三个担子的珠宝和两个担子的外币和国民党的法币。这三十担"宝贝"由一个排的战士轮流挑到离那间房子还有一里路的山下停住，然后放出警戒。到了晚上，再由另一个排的战士将这三十个担子趁着夜色挑进房子内，再存到房后的地窖里。

为了防火，这三十个担子均用事先准备好的石板盖起来。当这些"宝贝"清点打包时，毛泽民亲自过目。放置到地窖后，毛泽民也亲自视察，并将三十个担子的东西造好清册，一共两份，一份由他亲自保管。为了保密，清册上写的是黄酒若干、白酒若干。黄酒代表黄金，白酒代表白银。那些担子放好后，由战士用石块将地窖口堵死，外面做好伪装。

第二天，参与贮存的红军战士全部撤离，另外换了一些战士在地窖前的房内守卫。

在保密工作中，毛泽民首先不让国家银行的人员沾边，然后又组织了四批战士来运送，每一批人只掌握一部分信息。包裹金银的不知道储藏何处，负责运输的不知道终点在哪里，储藏包裹的不知道包裹里面是什么，最后的警卫更是毫无所知。

实践证明，毛泽民的这一决策十分高明。在后来红军被迫撤离中央苏区进行长征时，当初储备的这些资金发挥了重大作用。

29

防范敌人破坏　平息货币纷争

1933年的一天,毛泽民刚从外地回到瑞金,正准备查看账目,会计科长曹菊茹匆匆闯进来,焦急地说:"毛行长,最近有不少老乡用纸币来兑换现洋,金库里的现洋少了一半,我看要出问题,赶紧想个法子吧!"

毛泽民一听,急忙向银行的营业厅走去。营业厅外面排起了长队,他挤进营业厅一看,厅里挤满了等候兑换的人群,大家议论纷纷,情绪激动。有人大声嚷嚷:"现在做生意的只收现洋,不收纸币,我要换现洋!"

有人接话说:"是啊,现在纸币快成废纸了,留着有什么用?"

毛泽民皱着眉头一言不发,转身出了大厅。他到瑞金县城的大街小巷转了一圈,果真看见一些日用品商店、布店和盐摊插着"只收现洋"的牌子。他最担心的挤兑现象终于发生了!

他急忙赶回财政部向部长邓子恢汇报,同时找来刚上任的外贸总局局长钱之光一起商量。

毛泽民说:"银行最忌讳的就是挤兑。最近,我已经隐隐约约预感到国民党的阴谋,但没想到来得这么快。第三次反'围剿'后,国民党对我们实行了严密的经济封锁,苏区物资匮乏,物价飞涨,纸币贬值。另外,敌人制造了大量假币流入苏区,并四处造谣破坏,干扰苏区金融市场。我们必须尽快想个办法,决不能让苏区货币的信用破产。"

毛泽民坚持,凡是要求兑换现洋的,银行要保证兑换,严格规定一元纸币换一块现洋，任何人不得抬高现洋比价！

决心下定，国家银行立即从金库里提出大批现洋，公开兑换纸币。两天过去了，前来兑换现洋的老乡有增无减，银行门口的队伍越来越长。曹菊茹对毛泽民说："毛行长，现洋所剩不多，是不是停止兑换？"

毛泽民坚定地回答："现在老百姓换币热情正高，不能停换。换出大洋是为了提高纸币信誉，只有提高纸币信誉，才能稳定金融！"

曹菊茹叹道："是这个道理，但如果钱局长他们明后天赶不回来，麻烦就大了。"

毛泽民低头沉思片刻，眼睛突然一亮，说："看来我们应该学学孔明先生，唱一出'空城计'了。今天半夜，你们……"毛泽民跟曹菊茹耳语了几句，两人会意地笑起来。

第二天一早，瑞金县城街道上出现了由红军警卫开路、曹菊茹带队的箩筐运输队。一些箩筐里装满了金砖、金条、金项链、金戒指、金耳环和银镯、银项圈、银元、银锭，另外的箩筐里整整齐齐地码着大洋。蜿蜒的运输队经过闹市，十分壮观。两边围观的老乡越来越多，把街道堵得水泄不通。

运输队在人群中挤开一条路，把一担担的首饰和大洋挑进银行。每通过一担，就有老乡一边数着，一边啧啧地夸赞："国家银行真是财大气粗啊！"

在国家银行的营业厅里，金银首饰堆起一座金光闪闪的"金山银山"，前来兑换银元的人们见后，咂舌道："我一辈子也没见过这么多金银，苏区银行真够阔气啊！"

兑换的群众散去不少，毛泽民心中的焦虑减轻了一些，终于能够耐下心来等待钱之光的归来。

当天，钱之光按计划运回红军在反"围剿"中缴获的银元和棉布、食盐等大批物资，毛泽民称赞他们救了苏区银行，救了苏维埃政府。毛泽民还告诉钱之光说："空城计已经用上金库里压箱底的全部金银。你要是再不回来，空城计就要穿帮了。"

有了前线运回来的物资，毛泽民立即下令停止兑换。合作社大量出售日用品，标价牌上写着："只收纸币，不收现洋。"

人们议论纷纷，不是说纸币要过期、纸币不值钱吗？你看政府还拿出大洋换纸币，现在卖东西又只收纸币了。

人们又赶紧捧着大洋到银行兑换纸币，购回所需物品。有的人不买货物，也将现洋换成纸币。没过几天，收回的现洋比换出去的金银还多。

面对挤兑危机，毛泽民机智应对，用"空城计"打了一场漂亮的金融战，并及时采取措施保证了苏区的物资供应，成功地巩固了国家银行和苏维埃政府的信誉，保证了政府的融资能力和物资调配能力，为红军反"围剿"胜利奠定了经济基础。

关学文说，纸币的发行还要解决纸张和油墨的问题。由于国民党对苏区的封锁，印制原料稀缺。在去上海、香港影制钞版、购置印制材料未果之后，国家银行只能暂时一边用白布印刷，一边自己动手造纸。没有造纸原料，银行职员便到大街上捡些烂麻袋、破棉絮，上山砍毛竹、剥树皮，收集鞋底、绳头。

人们常常在村头街口看到国家银行的"捡破烂"队伍。捡回来的东西全部砸碎，在石灰池中浸泡，然后捣成纸浆用于造纸。

后来听老乡说，用附近山上的一种老树皮造出来的茶叶包装纸，既耐磨又坚韧，国家银行马上派人到山上采集。最初造出来的纸不甚理想，韧性不好，又厚又黄，后来加入胶水和细棉花增加了韧性和洁白度，终于造出了适合印刷钞票的纸张。

从白区购买油墨也是历尽艰辛。从赣州购买的油墨在回来的路上被国民党没收，一位钱庄老板建议用传统的松烟法造墨，把松树的松膏烧成烟油，然后掺些桐油即可。一试之下，果然效果不错，这样油墨的问题也迎刃而解了。

……

第一节课讲完了，关学文让大家休息十五分钟，到院子里走一走，活动活动筋骨，缓解一下因席地而坐带来的麻木和酸痛。

第二节课开始，韩雨田刚坐下，身旁的丁一凡就用胳膊肘碰了碰他的大腿，然后趴在他的耳朵边说:"雨田,你看那个不要脸的程应松,人家隋晓梅根本不理睬他,可他又抢先坐到她身旁去了。"

韩雨田转头看去,果然发现程应松紧靠着隋晓梅,一副恨不得贴在她身上的样子。上第一节课时,隋晓梅选了靠墙的位置坐下,程应松当时连推带撞,三步并作两步穿过前面的学员,抢先坐在了隋晓梅的身侧。关学文还没开始讲课,程应松就用苏州本地方言哇啦哇啦地跟隋晓梅套近乎起来。

隋晓梅没有开口回应,只听或礼貌地点下头。看来,虽然是老乡加校友,隋晓梅对程应松并没有什么好感,程应松贴靠她,完全是剃头担子——一头热。

韩雨田想,九人中除去已婚的魏国梁外,其余都是单身青年男女,出现点男欢女爱也属正常。再说了,就两个女学员,那位叫姜璇的年龄大不说,还比较矮胖,一张大饼子脸和隋晓梅清秀的瓜子脸相比,有云泥之别。程应松去讨好隋晓梅,与她套近乎也是可以理解的。

收回目光,韩雨田曲起食指,朝丁一凡的脑门弹了一下,压低声音笑道:"丁一凡,你人小鬼大,都想些什么呀?"

第二节课开始了。从延安来到晋察冀边区,韩雨田还从未深入了解过这片土地。关学文第二节课的内容,就是介绍晋察冀边区的概况,韩雨田早就想了解一下晋察冀边区的全部情况,这下终于有了机会。

韩雨田通过学习和探索,对晋察冀边区抗日根据地有了更深层次的了解和更细致的认识。

晋察冀边区是我党在抗日战争时期于敌后开创的第一个抗日根据地,地处同蒲路以东,正太、石德路以北,张家口、多伦、宁城、锦州一线以南,东临渤海,以山西东北部和河北的冀中、冀东为主,包括察哈尔、热河、辽宁三省的一部。行政上划分为北岳、冀中、冀察、冀热辽四个区。区内除冀中大平原外,大多是山岳地带。

阜平县便是晋察冀边区的重要枢纽和相对安全的地域。国家银行设立于此,有着极其重要的战略意义和现实意义。

30

奠鸿基于战火　创伟业于经年

多年前，韩雨田只是在涞水县配合边区银行发放过春耕生产贷款，从而了解个皮毛。通过关学文的详细讲解，韩雨田对晋察冀边区银行才有了全面的认识。

晋察冀边区银行，是抗日战争初期共产党在敌后建立的第一家红色银行，也是敌后十九块抗日根据地中唯一一个被国民政府批准成立的银行，被誉为"战斗银行"。它印制的各种钞票在抗日根据地发行后，不仅有力地支持了抗日战争，也为抵制国民党政权的统治作出了重大贡献。

韩雨田在学习期间，利用业余时间查阅了很多历史资料，而这些资料大都涉及关学文本人在创建边区银行时走过的艰难历程。他在讲课时，只是一带而过，并没有全部讲出来。而且这些资料，对每一个献身于金融事业的人来说都极为宝贵。

譬如，晋察冀边区银行在首任经理关学文的领导下，总行设有发行科、出纳科、会计科、营业科、秘书室、文书股、庶务股、运输队和警卫队，下设冀中、晋冀、冀察三个分行及各专区办事处。因日寇"扫荡"频繁，边区银行几经辗转，最后在河北省灵寿县的油盆儿、黄土台、大西沟和阜平的大东沟驻扎下来。

边区银行成立后，即开始印制和使用晋察冀边币，禁止流通各种杂钞及伪币，使晋察冀边区银行币成为该区的本位币。晋察冀边区银行在成立后的十年里，在关学文的带领下历经血与火、生与死的残酷考验，圆满完成了"筹集军费、打击杂钞、保护经济"的特殊使命。

韩雨田还了解到，1937年12月中旬，关学文秘密来到印刷行业较为发达的河北省安国县。这里是冀中药材生产集散地，有不少商号、药行印制商标、广告、包装纸。关学文找到几个印刷厂的掌柜和工人，向他们宣传抗日救国的道理。经过动员，很快找到了十余台小型石印机、手打号码机以及辅助设备、材料和近二十名技术工人，在县城南关药王庙的一座大院里建立了人民自卫军军需处印刷所。为了加快印刷钞票的筹备工作，关学文派人四处采购油墨等印刷物资，并选派有设计制版能力的二位师傅制作票版。不到二十天，便成功地设计出壹圆小黑马样票，主色为金红，底纹为粉红，主景图案是一匹小黑马在耕地，图案主题突出了抗日的色彩。经上级审验合格后赶制印版，在八里庄法华村装机并正式开印。首批钞票印成后，因日寇沿平汉路两侧进行残酷"扫荡"，经理关学文组织骡马队将钞票驮到了阜平，开始投入使用。

后来，晋察冀边区银行又发行了几十种纸币，为抗日战争的胜利和改善边区军民的生活作出了重要贡献。

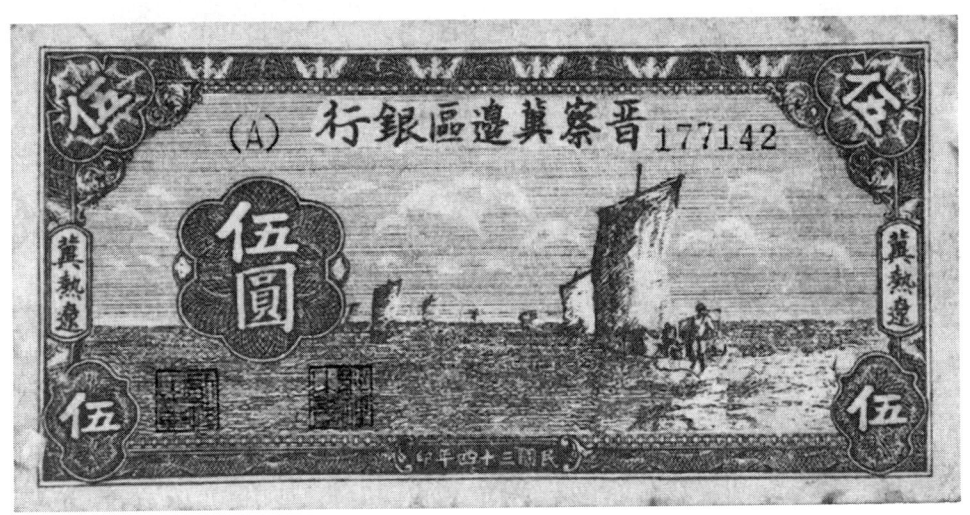

晋察冀边区银行发行的纸币

向着太阳走

关学文一上午讲了两节课。午饭后,韩雨田带领学员参观了晋察冀边区银行总行各科、股室。关学文对学员们说:"以后这里就是我们工作和生活的地方,大家要把这里当成自己的家,把银行当成自己的家,为前方部队、为根据地人民作出自己的贡献。"

晋察冀边区银行总行的发行科、出纳科、会计科、营业科、秘书室、文书股、庶务股、运输队、警卫队的人员,都居住在这座大地主的四合院里。人员最多的警卫队,有一半人住在耳房后的第一进房子里。那一排房子过去是护院和长工们住的地方。警卫队的另一半人,住在后院马棚边堆放杂物的草房里。第二进房子分别有发行科、出纳科、会计科、营业科的办公室。第三进房子有秘书室、文书股和庶务股、运输队等。后院那一大排马棚中,养着十几匹马和骡子,称为运输队的"车辆"。

阜平县地处山区,平坦宽敞的大道极少,许多狭窄弯曲的山路难以通行汽车和马车。所以,运输队几乎全靠骡马队运输物资设备、账簿钱票等。

一个下午的参观,给韩雨田印象最深刻的是印刷车间和金库。关学文还专门给学员开了个小会。他说:"印刷车间和金库是保密的,人员进出有严格的规定,除了经理签名同意外,还要有警卫队战士全程陪护和监视。"关学文还说:"大家都是党和部队千挑万选出来的红色金融人才,将来要在银行的重要岗位上工作。所以,晋察冀边区银行从一开始就把大家当作自己人看待了,而一般的银行职员是不得进入印刷车间和金库的。"

关学文要求大家参观完后,要严格遵守保密制度,不得向任何人泄露印刷车间和金库的所在位置以及内部情况。

之后,牛得力还拿出一份保证书,让大家一一签字。保证书的主要内容,是要求大家把看到的一切埋在心里,决不能暴露到外界去。

关学文带着学员来到一排马棚前站定。那里,只有一口用巨石凿出来的牲口槽子,长约两米半,宽约一米,深约半米。大石头槽子里还有半槽子青草。

韩雨田心里说:莫非这儿还有什么秘密?

关学文回头看见大家的眼神中迷惑不解的样子，便指着那口石槽子说："这里，就是印刷车间和金库的入口。"

关学文的话音一落，四个人高马大的警卫队战士就走上前，一人抓着一角，把那口足有千斤重的石槽子抬了起来。隋晓梅和姜璇两位女学员看到这番情景不由得惊叫一声，随即捂住了自己的嘴巴。男学员们也惊诧不已，难以相信晋察冀边区银行的重地竟然在一口巨大的牲口槽子下面。

牲口槽子下，露出一块长方形的青石板。掀开青石板，一个黑乎乎的洞口出现在大家面前。关学文说："下面，原本是大财主藏匿金银财宝的暗窖。边区银行进驻后，将它进行了扩展和重新建筑，分成了两部分，外边是印刷车间，里边是金库。"

说完，关学文向大家摆摆手，率先进入了地下暗窖。

韩雨田等紧随其后鱼贯而入。

进入地下室后，四位警卫战士持枪分立洞口两侧，个个严阵以待的样子。

韩雨田的眼睛适应了地下室里的昏暗后，看到一条石阶通道朝下而去。石阶的尽头，则是一个四五十平方米的地下室，周边燃着四盏煤油灯。地上摆放着八台石印机和一堆堆的手打号码机、纸张、油墨桶、喷壶等。地下室的最里边是一道石墙，墙壁上有一扇关闭并上了锁的大铁门。

关学文指着里面的设备和物资说："这就是咱们边区银行的印刷车间。那道石墙后面，就是放置金银钱钞的金库。"接着，关学文又介绍了印刷纸币的流程。

这是韩雨田和学员们第一次看到如此先进的印刷设备。

关学文介绍说，石印术是"石版印刷术"的简称，是一种平版印刷技术，以表面具有密布细孔的石板作版材进行平压平或圆压平的直接印刷。具体说，就是利用油水相斥的原理，用脂肪性油墨将图文绘制在石板上，然后以水润湿石板的表面，使没有图文的石板细孔蓄有水分，于是图文部分吸墨拒水，非图文部分吸水拒墨。印刷时，把纸张覆盖在施墨及润水的石板上，然后通过木制压架使石板上的墨迹转移到纸张上，获得印张。石印术在我国近代出版史上得

向着太阳走

到了广泛应用,对于近代大量书籍以及画报等出版物的印刷有着重要的推动作用。

参观完印刷车间,见识了石印机、手打号码机等设备,又了解了晋察冀边区银行设计、印制纸币的流程后,关学文一挥手,两名警卫战士打开了暗窖里面的铁门。站在铁门外,大家借着警卫战士的电筒,看到了里面一垛垛崭新的散发着油墨香味的钱币,也看到了一垛垛金光灿烂、银色映人的金条和银元宝。

关学文告诉大家,任何一家银行都要储备金银等贵重物品作为银行的准备金。准备金与纸币发行数量必须保持在合理的比率内,以防止纸币贬值、通货膨胀、挤兑风波,等等。

通过一个下午的参观,韩雨田对银行系统有了更加深入、全面的理解,也对银行在国民经济中的地位有了深刻认识,更加增强了当一个红色银行人的信念。

五天的培训结束了,韩雨田等九人正式加入了晋察冀边区银行,或在发行科、会计科、出纳科,或在秘书股、庶务股、营业室等,大家均有了各自的工作岗位。

韩雨田被分配在发行科。因晋察冀边区和敌占区、国统区、三角区等区域犬牙交错,各种势力纠缠不断,老百姓在经济活动中买卖交易所使用的货币可谓五花八门。既有官方法币,也有各方势力发行的杂钞,甚至一个钱庄、一个大财主或富豪巨商都可以发行自己印制的钞票或者代币券等。因此,发行边区币,清除各种杂票,统一边区货币市场,复苏和振兴边区经济,支援抗日队伍,改善边区人民生活,已经成为银行工作的重中之重。

隋晓梅也分配在了发行科。被分配到出纳科的程应松想近水楼台先得月,争取有更多的机会和隋晓梅谈上恋爱,还找关学文提要求,想与韩雨田交换工作岗位。

程应松的请求自然遭到了领导的拒绝和批评。

关学文要求他向韩雨田同志学习,一切以革命利益为重,服从命令,听从分配。本来，在五天的培训中，程应松就因隋晓梅疏远他并靠近韩雨田而对其记恨在心，这次又遭到了关经理的当面批评，所以恨不得让韩雨田从边区银行消失。

韩雨田根本不知道程应松嫉恨他，也没注意到隋晓梅为了躲避程应松的死缠硬磨而有意靠拢他。韩雨田把所有的精力都投入发行工作中，在和隋晓梅一起工作时，只把她当成同事，当成小妹妹，没有丝毫的男女之情。

晋察冀边区地处山峦丘陵，农民种植抗干旱的棉花居多，然后纺纱织布，生产了大量布匹。国民党占据的国统区则多为平原地带，富产高粱、玉米、小麦、小米等作物。根据地有个"东粮西布"的说法，即东部地区需要布匹，西部地区需要粮食。

国统区与解放区的粮食和棉布一直处在互通有无的状态中，为了方便物资交换，急需一种大家认可的等价货币。

在抗日统一阵线的问题上，国共两党虽然貌合神离，处于同床异梦的状态，但吃饭穿衣是军民大事，在经济交流过程中双方各取所需是不可或缺的正常行为。因此，国共两党为了争取民心都没有对此进行严格限制。

八路军在国共两党统治区的边界，专门设立了货币兑换所。因晋察冀边区银行是十九个敌后抗日根据地中唯一一个经过国民政府批准成立的银行，所以边区币便成了官方货币。

韩雨田和隋晓梅经常被科长派出与运输队、警卫队及出纳科的同志到边界的货币兑换所工作。聪明干练、责任心强的韩雨田，也很快成为发行科的业务骨干，并担任了发行科的副科长。

韩雨田的优异表现，自然吸引了奋发向上的隋晓梅。无论是工作还是日常生活中，她都喜欢和韩雨田在一起，仰慕之情溢于言表。对此，韩雨田也渐渐有所感受，但他一心扑在工作上，装聋作哑地像一般同事那样对待隋晓梅。

程应松作为出纳科的一员，也有机会去货币兑换所与韩雨田和隋晓梅共事。他看到隋晓梅对他如此冷淡，而对韩雨田则含情脉脉，愈益妒火中烧。

向着太阳走

一天，正当三人在货币兑换所为业户服务时，十几个持枪的土匪突然闯了进来。隋晓梅急忙将盛放钱币的铁箱子锁好，把钥匙藏了起来，并用铁链子把铁箱子拴在了柜台上。

"噼噼啪啪"的枪声响起，四个警卫战士在打倒六七个土匪后，终因寡不敌众，全部牺牲。剩下的土匪，见被锁上了的铁箱子一时半会难以从柜台上拆下，便用枪口抵住了韩雨田、隋晓梅和程应松的脑袋，逼他们交出钥匙。

程应松被吓得脸色煞白，浑身哆嗦，指着隋晓梅说："钥匙——在她手里。"

土匪用枪口戳了戳隋晓梅的前额，厉声喝道："快把钥匙拿出来！敢磨蹭，老子就叫你脑袋开花！"

一边的韩雨田看着嘴巴紧闭、一声不吭的隋晓梅和凶神恶煞的土匪，急忙指着程应松喊道："你们别听他胡说，她没有钥匙！钥匙被我藏起来了！"

"啊？！"

"钥匙被你藏起来了？！"

土匪转身对准韩雨田："妈的！快把钥匙拿出来！"

几个土匪上前从韩雨田的腰间搜出一把匕首，将匕首刀尖顶在了韩雨田的喉咙处，喝道："快把钥匙拿出来，我数三个数，不拿，老子就叉了你！一……二……"

"住手！我是掌管钥匙的！刚才——我把钥匙吞进肚子里了！"隋晓梅大叫着。

危急关头，隋晓梅怎么忍心让土匪把自己的心上人杀了呢？此时，她只想把土匪的注意力引到自己身上，至于会出现什么后果，她已经顾不得多想了。

土匪疑惑地看看韩雨田，又看看隋晓梅，再看看程应松，不知他们三个谁说的话是真的。片刻，想叉了韩雨田的那个土匪一步蹿到隋晓梅面前，两眼盯着她的腹部，一副想要给她开膛破肚的架势。

韩雨田一看急了，对那土匪说："大哥，请你相信我，大铁箱子的钥匙是铜质的，有一巴掌长，她怎么能吞进肚子里呢？只要你们放了她，我立马把钥匙交出来。"

形势危急，隋晓梅随时都有被土匪杀害的危险，韩雨田只能想尽各种办法拖延时间，看能不能找到机会夺下某个土匪的手枪。

几个土匪犹豫了一会儿，不知如何是好。

就在这时，外面突然传来三声枪响，接着就爆出一片喊声："土匪抢银行啦！土匪抢银行啦！"

韩雨田心里一松，知道货币兑换所驻地的民兵听到枪声后，前来支援他们了。他大声对土匪说："八路军来了！你们还不快跑，等着送死吗？！"

韩雨田担心土匪会把他们当作人质与民兵们对峙起来，给救援带来不必要的麻烦。

土匪们一愣，没想到武装民兵会这么快赶来，互相递个眼神，疾步朝门外逃窜。

一阵枪声和杂乱的脚步声过去后，十多个民兵冲进货币兑换所，韩雨田三人才死里逃生。

在往总行走的路上，隋晓梅冷着脸，狠狠地对程应松说："从今天起，你再敢纠缠我，我就把你今天的表现汇报给关经理！"

程应松面红耳赤，哑口无言。

31

日寇蚕食"扫荡" 银行转移频繁

1943年秋,日寇对晋察冀边区展开了大规模"扫荡"。晋察冀边委会和晋察冀军区一边指挥根据地军民反蚕食、反"扫荡",一边号召军民开展游击战和粮食保卫战,实行武装保卫秋收。

日伪军占领了阜平县,并组织兵力"扫荡"边区政府机关和大东沟一带的军民,晋察冀边区银行受到了严重威胁。

银行总部按照上级命令,将大部分办公设备隐藏在暗窖的印刷间里,又从金库里取出一部分金银和边区币作为应付军民抗战和生活之需。作为发行股副股长的韩雨田,决定把流通货币用马队驮上,带领队伍撤到太行山的深山密林处隐藏起来。

关学文和韩雨田带着六七十人的队伍和几十匹骡马,驮着百十箱钱钞和财物,由警卫队的三名战士在队伍前探路,二十多名战士在队伍末尾殿后,其他战士穿插在队伍中间,警惕山路两侧的埋伏。

林木越来越密,山路也越来越窄。突然,一名警卫队战士从队伍后面飞马跑到关学文面前报告:"关经理,后面发现三四百名日伪军顺着山路,朝我们这个方向追来!队长说,他带领队伍阻击敌人,你们加快速度进入山区深处!"

战士的话音刚落下,队伍后面随即传来一阵阵枪声。队伍两边的警卫队战士留下两人,其他人朝后跑去,加入阻击敌人的队伍中。

关学文跑到队伍中间大喊:"大家跑步前进!"

急促的脚步声伴随着回荡在山谷里的噼里啪啦的枪声，令人脚下拌蒜，队伍跟跟跄跄前行。流弹不时从队伍里穿过，银行的四位同志不幸被击中，伤势最重的是隋晓梅，子弹钻进她的后背，一个黑乎乎的弹洞不断地朝外涌血。

医务员为她简单包扎了一下，纱布很快被鲜血浸透。三位轻伤的同志还能坚持着奔跑，而隋晓梅则被战友们抬到马架子上继续前行。

山路渐渐狭窄，马队不时停在路旁，因而行进缓慢。

关学文和韩雨田商量，决定将马架子上的金银财物就地掩藏，同时把身受重伤的隋晓梅也就地隐藏起来。

韩雨田心里清楚，如果继续带着隋晓梅颠簸前行，她就会有生命危险。

大家七手八脚地从马架子上搬东西时，韩雨田看到前面山路岔口处有个十几岁的放牛娃，正牵着一头老黄牛慌慌张张地往山下走。

韩雨田快步跑过去，想问那放牛娃，附近有没有隐蔽的山洞或可以藏物藏人的地方。

韩雨田靠近那个放牛娃时，忽然觉得他有些面熟，可一时又想不起在哪儿见过。此时，他顾不得多想，拉住少年的手轻声问道："小兄弟，这里有没有可以隐藏东西的地方？"

少年看了看韩雨田，又看了看不远处的男男女女和骡马队，说："有，快跟我来！"

关学文带着十几个身强体壮的男同志，牵着马匹，手提肩扛跟在那个少年后面下了山路，钻进树林中。走了大约三四十米远，一队人将装有钱物的大箱子运进了少年指给他们的山洞里。

韩雨田背着昏迷不醒的隋晓梅，在山洞里找了一块比较平坦的地方，把她放在了地上。

山洞背靠一处悬崖，处在几块巨石中间，一丛丛高过人的灌木和杂草掩盖着四周，不知道的人很难发现它的存在。

隐藏好金银钱钞和隋晓梅后，关学文朝队伍扫视了一圈，问："晓梅同志留

向着太阳走

在这里，需要一个同志照顾，谁报名？"

关学文说完，韩雨田率先举起手，报告："关经理，我来！"

关学文朝韩雨田点点头，只说了一句："好！雨田同志，我相信你！"

关学文从一个警卫队战士手里拿过一支三八大盖，递给韩雨田，又收集了十几发子弹和一些干粮交给他，嘱咐说："不到万不得已，不能开枪暴露自己。银行的金银钱钞固然重要，但你和晓梅同志的生命更重要！等我们打退敌人，这一带安全之后，我们来接应你和晓梅同志。"

韩雨田挺直腰杆，向关学文保证道："关经理放心！我会照顾好晓梅同志的，也一定会保护好咱们的家底儿！"

目送关学文带领队伍匆匆离去，韩雨田抓住放牛少年的手说："小兄弟，谢谢你！"

少年道："我哥也是八路军，还是连长呢！咱们是一家人，谢什么呀！"

八路军？连长？韩雨田瞅着少年那似曾相识的面孔，脑中突然浮现一个人影，急忙问道："小兄弟，你家在哪里，你叫什么名字？"

少年遥遥指着远处说："我家住在埠前夼。我哥叫宋大山，我叫宋小二！"

"你——是宋大山的弟弟？！我说看你怎么面熟呢，你和你哥长得太像了！"

韩雨田喜出望外，说："你哥在军分区警卫营当连长，我到阜平就是他护送我来的。你哥把我送到地方，连家门都没进就赶回部队去了。他还嘱咐我，若有机会让我代他去看望你娘呢！你娘还好吧？"

宋小二的脸黯淡下来，一双大眼睛立时泪眼汪汪，哽咽道："我——我娘天天想我哥，整天哭，都想病了。根据地被封锁后，缺医少药，村干部也没法给她治。前些天，她陪我爹去了。"

韩雨田叹口气，心说：日本鬼子害得中国多少人家破人亡、妻离子散啊！

韩雨田摸了摸宋小二的头，算作对他的一种安慰。

宋小二让韩雨田在山洞里藏好，他再把被人踩倒的草木收拾利索。韩雨田要在附近找一处隐蔽的地方趴下，那样万一日伪军发现了这里，可以开枪朝远处跑引开敌人。

宋小二见韩雨田坚持不进山洞,就与他将山洞周围的野草扶直,把洞口外伪装了一番,然后把韩雨田领进了一处浓密的灌木林里。

远处的枪声仍在继续,宋小二没走。他把老黄牛赶进岔路口的一条长满青草的小沟里,让它在那里埋头吃草,他好观察鬼子的动静。

不多会儿,韩雨田发现警卫队的十几个战士一边开枪一边撤退的身影。待他们跑到岔路口时,宋小二挥起赶牛的鞭子,让警卫队的战士朝关学文带着队伍走的那条山路跑。

很快,密密麻麻的一大群日伪军冲到了岔路口。一个穿着便衣的汉奸抓住宋小二的胳膊,厉声问:"小放牛的,八路军跑到哪里去了?"

宋小二指着另外一条山路:"他们——朝那边跑了。"

汉奸用手枪点了点宋小二的脑袋,说:"你要是敢欺骗皇军,我一枪打死你!"

说完,汉奸跑到一个日本军官面前,叽里咕噜说了几句。那日本军官瞅了瞅宋小二,又瞅了瞅宋小二指的那条山路,又对汉奸哇哇了句什么。

汉奸一边点头,一边朝宋小二吆喝道:"小放牛的,你来给皇军带路!要是追不到八路军,老子就打断你的腿!"

宋小二跑到老黄牛跟前,弯腰捡起缰绳,哭丧着脸央求汉奸:"大叔,我还要放牛呢!"

"放牛?别放了,赶紧带路!"汉奸上前抓住宋小二的胳膊,拽着走去。

宋小二攥着牛缰绳挣扎着说:"大叔……我走了,牛跑了咋办啊?"

"它跑不了,快去给皇军带路吧!"汉奸说完,对着老黄牛的头,"嘭"地开了一枪!

老黄牛的头爆出一个血洞,随着鲜血涌出,牛身子抖了几抖,便"扑通"一声倒在了地上。

"啊?!你——打死了我的牛!你赔我的牛!赔我的牛!!"宋小二一边哭一

边喊，一边抱住汉奸拿枪的右手，狠狠咬住他的手掌不放。

"啊——快松口！你——娘的快松口！"汉奸的手枪掉在地上，他一边用左手抽打宋小二，一边惨声喊叫。

几个伪军冲上来一齐动手，将宋小二的嘴巴从汉奸的手背上拉扯下来。

汉奸疼得跳了几尺高，弯腰拾起手枪，对着宋小二的脑袋就要开枪。

"八嘎……他的，带路！"日军军官上前，抽了汉奸一个耳光。

"哈依——"汉奸收起枪，与几个伪军联手拖着宋小二朝那条山路走去。

韩雨田距离岔路口只有十几米远，看着当时的情景，握枪的手忍不住抬了起来，将枪口瞄准那个汉奸。他怕一时控制不住从而暴露了山洞的隋晓梅和家底儿，最后只好把枪举起又放下。

过了大概半个时辰，日伪军又急匆匆地返回来，转向了关学文他们走的那条山路。

韩雨田盯着日伪军混乱的队伍，没有发现宋小二的身影。他的心立马揪了起来，意识到宋小二肯定是凶多吉少了。

数百个日伪军在那条山路上不见了影子，韩雨田迅速钻出灌木丛，快步朝日军返回的那条山路跑去。

韩雨田在山路的拐弯处，猛地站住……他看到了一个蜷缩在路边草丛里的身躯。

"小二……"韩雨田扑了过去。

宋小二鲜血淋淋的头歪在一边，脖子处只有一点点筋骨连着肩窝。

宋小二为了保护晋察冀边区银行，献出了自己年幼的生命。

韩雨田趴在宋小二矮小瘦弱的尸体上嚎啕大哭！

天色渐渐暗了下来，韩雨田抱起宋小二回到岔路口，走进旁边的那条小沟里，把他放在已经死了的老黄牛身边。

山地的土层很浅，又没铁锹，韩雨田无法埋葬宋小二，只能让他继续和老黄牛作伴。他折了一些灌木枝，拔了一抱又一抱野草，遮盖住宋小二和老黄牛的尸体。

天完全黑了下来,韩雨田摸着黑钻进山洞,在隋晓梅身边坐了下来。

隋晓梅的呼吸时断时续,他想给隋晓梅喂几口水,可又不敢翻动她的身子,怕她的伤口流出更多的血。他只能用手掌捧着一口水,伸到隋晓梅的脸旁,给她润一润嘴唇。

黑暗里,韩雨田只能陪伴着隋晓梅等待天亮,等待关学文派来的同志。

夜深了,潮湿的山洞里一片寂静。

韩雨田身心疲惫,迷迷糊糊地刚眯着,忽然听到隋晓梅发出了呻吟声,她像是醒过来了。

"冷——冷——我冷……"

隋晓梅有气无力地哼着。

韩雨田急忙脱下自己的衣服,盖在隋晓梅的身上,可隋晓梅依然喊冷。韩雨田把身子贴在隋晓梅的身边,想用自己的躯体给她保暖。

"你——是——韩科长?"隋晓梅已经清醒了过来。

韩雨田流着泪说:"是我——我是韩雨田。晓梅同志,你要坚持住,关经理很快就会派人来接咱们。"

隋晓梅抬起一只手,摸摸索索地抓住了韩雨田的胳膊,口里喃喃地道:"我们——这是在哪儿?怎么——这样黑——这样冷啊?"

韩雨田轻声道:"现在是深夜。我俩隐藏在一个山洞里。"

隋晓梅沉默一会儿,突然,她向韩雨田请求道:"韩科长,你——抱抱我吧——我很冷……"

韩雨田伏在隋晓梅的后背上,哽咽道:"晓梅同志,你——你后背受了枪伤,我——不敢随便动你啊!"

"韩——科长,我——从来没求过你,这会儿,你就答应我吧!抱抱我——抱抱我……"隋晓梅抓住韩雨田的手,哆嗦着,嘴里不停地央求着。

韩雨田抹了一把泪,伸出双手,轻轻地将隋晓梅的上半身抱起来,让她靠

向着太阳走

在自己的怀里。

有看不见的液体,顺着隋晓梅的后背流淌在韩雨田赤裸的胸膛上。他知道,这是从隋晓梅的伤口里流出来的血。他感到隋晓梅的身体在他怀里不断地颤抖,渐渐地热了起来。

过了一会儿,只听隋晓梅长长呼出一口气,接着,又急喘起来,一口接一口的热气喷在韩雨田的脸上。

"晓梅——晓梅,你坚持住!可要坚持住啊!"

韩雨田在部队里经历过多次战友牺牲前的情景,他知道隋晓梅已经濒临断气了。

此时的韩雨田慌了,害怕了,禁不住在黑暗中对着隋晓梅大声呼唤起来。

渐渐地,隋晓梅的呼吸声间隔长了,韩雨田一下子想到了邢秋牺牲前嘱托他的话,他的呼唤声更大、更急了:"晓梅!你要坚持下去!天快亮了,同志们就要来接应我们了!晓梅,我——我命令你!一定要坚持到抗战胜利!"

韩雨田歇斯底里的吼叫声在山洞里轰鸣,打破了深夜的沉寂,在黎明前的天地间回荡。

天色朦胧,东方渐渐发白,隋晓梅的身躯在韩雨田的怀里渐渐地变凉了,慢慢地僵硬了。

韩雨田紧紧地抱着她,泪流满面……

隋晓梅,一个出生在苏州的美丽姑娘,一个从国立西南联合大学奔赴延安、参加革命的富商女儿,才二十一岁,有着大好时光的青春年华,却这样离去了。

韩雨田抱着隋晓梅,悲痛欲绝,面对黑暗的山洞轻吟道:

幽洞藏身护芳容,
抗日勇士气长虹。
壮志未酬身先死,
丹心报国女英雄。

韩雨田就那么抱着隋晓梅的尸体，坐在山洞里，不吃不喝，麻木地等待着。

一直等到第二天下午，晋察冀边区银行总行的同志才来接应韩雨田和隋晓梅。

同志们一起动手，将隋晓梅和宋小二葬在了一棵松柏树下，在他们俩的坟墓前竖起了两块刻着他们名字的木牌。

日伪军的"大扫荡"被粉碎了，根据地恢复了平静。晋察冀边区银行也回到了大东沟的大宅院里，各项工作有条不紊地继续进行着。

年关前，总行发放了春节救济款一百多万边币。年后的春天，又发放了九百多万春耕生产资金。

韩雨田也慢慢地从宋小二和隋晓梅的牺牲的打击中走了出来，一心一意地投入红色银行的工作中。

1944年春天，晋察冀边区边委会根据中共中央精兵简政的精神，决定将晋察冀边区银行人员大幅度缩减，一个办事处只留一至两名干部，总行只留三名干部，并决定将各级银行向财政"靠拢"。经理、主任一律由财政处长、科长兼任，总行只有一人负责记账和管理金库。原经理、主任降为副职，实际上边区银行已经名存实亡。

韩雨田等人被分配到县区营业室。

到了1945年，随着抗日战争的节节胜利，根据地越来越壮大，货币需求量也急剧增长，银行业务也随之多起来，中央又增派了两位同志到晋察冀边区银行总行，一个帮助管理金库，一个从事会计工作。

韩雨田所在的阜平县营业室虽然业务不多，但他除了做好本职工作外，还埋头钻研业务知识。他知道，抗日战争胜利后银行业肯定有巨大的变化，必须武装好自己以迎接新时代的到来。

32

发小成脱缰马　雨田不念旧情

1945年8月15日，日本宣布投降，晋察冀边区政府下令接收北平。而驻北平的日军根据蒋介石的命令，拒绝向八路军缴械投降。边区政府遂命令八路军晋察冀边区部队解放敌占区军事和经济重地张家口。

张家口是八路军解放的第一个大城市。根据中央和边区政府的指示，晋察冀边区银行作为国民政府批准成立的唯一一家中国共产党领导下的合法地方银行进驻张家口。国民政府无奈之下，只能默认。

晋察冀边区银行到达张家口后，开展的第一项工作就是根据边委会的命令，收编伪蒙疆银行。日伪军万万没有料到，蒙疆银行的许多贵重设备还没来得及撤走或摧毁，八路军就迅速解放了张家口。

韩雨田在蒙疆银行总部第一次见识了最为先进的印钞机器。收缴了蒙疆银行的重要设备，晋察冀边区银行旧貌换新颜，充满了生机和活力。银行业务也由简到繁，除了常规业务外，还开办了承购公债、贴现、押汇、商品押款、区外汇兑、托收款项、买卖外汇等多项金融业务。

韩雨田对关学文说，感谢蒙疆银行给了我们这么多先进的设备。

随着我军的节节胜利，边币流通范围空前扩大，北越长城而达热河、张家口以北地区，西达北同蒲路，东达山东德州至天津的铁路沿线，南达太原、石家庄、德州的铁路沿线。长城内外流通区域的人口达三千多万，成为边币流通的最鼎盛时期。

发小成脱缰马　雨田不念旧情

伪蒙疆银行

韩雨田也从这个时候开始涉足城市银行的业务。

他觉得，相比全国其他大城市张家口并不是特别繁荣，但对长期在农村生活和工作的他来说已经是天壤之别。有了这么好的条件，他更加珍惜自己的工作岗位。

韩雨田一边遵照银行总部的指示发展业务，一边学习更多的金融知识和积累更多的工作经验，在红色银行里迅速成长起来。

韩雨田进入张家口不久，就发现由于国民党政府滥发货币，法币大幅贬值，黄金成了抢手货。俗话说"盛世字画，乱世黄金"。在兵荒马乱的年月，任何组织和党派都特别重视黄金的储备。因此，管理黄金者必须对党忠诚可靠。韩雨田受组织重托，负责黄金的定价工作。

当时，韩雨田天天抱着收音机，收听各地的黄金价格，掌握北平的黄金和粮食价格的涨跌信息。他细致的工作，使张家口和北平之间的黄金流动有序进行，并扩大了晋察冀边区银行的黄金储备，高效做好了肃清伪币、杂币以统一边币的工作，有效地稳定了解放区的金融市场，降低了军民经济活动中的物价水平。

韩雨田因工作出色，受到了总行领导的多次表扬。

为了从经济上支撑内战，国民政府废止了法币，开始发行"金圆券"，由此造成空前的通货膨胀，导致经济、金融秩序濒临崩溃。

韩雨田抓住这一机会，马上给新上任的工作人员上业务课，丰富他们的业务知识，提高红色银行人的业务能力，为党和国家储备了一大批红色金融干部。也正是这些干部，保证了接收石门市国民党银行的顺利实现，为恢复石门市的金融秩序、促进城乡物资交流起到了积极作用。

通过给新人讲授银行业务，韩雨田也对经济、金融、银行等理论研究产生了极大兴趣，为他后来著书立说、普惠红色银行人打下了坚实的基础。

1947年11月12日，中国人民解放军攻克了国统区第一座设防的大城市石门市及其周边的所有县城，在石门市建立了第一个以城市为中心的人民政权，晋冀鲁豫边区与晋察冀边区就此连成了一片。

1947年12月26日，石门市人民政府发布通知，将石门市更名为石家庄市。当时，石家庄市人口有十九万，有大小工厂二十七家，工业总产值两千万元左右。为了更好地支援解放战争，根据中央指示，晋冀鲁豫边区和晋察冀边区合并在了一起。晋察冀边区银行总行于1948年4月11日由阜平的广城村迁到石家庄，与冀南银行联合办公。为了贯彻华北金融贸易会议的精神和统一两行的工作步调，两行于5月初在石家庄召开了扩大的联席会议。7月22日，晋察冀边区银行与冀南银行合并，成立了华北银行。至此，晋察冀边区银行结束了中国共产党和历史赋予它的光荣使命。

韩雨田虽然不是科班出身，但他信仰坚定、业务拔尖、工作出色，晋察冀边区银行与冀南银行合并建立华北银行后，总行领导便任命他担任业务处副处长。在老领导关学文身边工作，韩雨田如虎添翼，干劲十足。

让韩雨田万万没想到的是，有一天，他竟然与从越南海防共赴延安的老同学李新生不期而遇。自1938年3月在延安分别后，整整十年过去了，当年的热血少年如今已经快三十岁了，真是十年生死两茫茫，不思量，自难忘！

那天，石家庄光明矿业公司向华北银行申请二十万元的大额贷款。总行领导特别重视开业后的首笔业务，关学文安排韩雨田前往光明矿业公司考察相关情况，以便制定决策。

韩雨田受到了公司高主任的热情接待，年轻的女秘书小赵给他沏了龙井茶，又亲自给他点上德国进口的香烟。

韩雨田与高主任简单寒暄几句之后，便开始审阅公司会计呈上来的介绍本公司基本情况和生产经营状况的资料。他看完资料后，提出到现场看看公司的煤场。就在他和高主任离开办公室时，门外忽然传来一位女子的笑声。

随即，办公室的门开了，走进来一对衣着光鲜的青年男女。男的西装革履，女的金色大开叉旗袍加身，两人一边走还一边动手动脚地调闹着。

"啊？！李新生？！"那西装革履的青年男子，竟然是李新生！韩雨田和他照面之后，愣了片刻，便惊叫起来。

"你——韩雨田？！"李新生也愣了片刻，看了韩雨田半晌，才疑惑地问道。

两人同时冲向对方，四只手紧紧地握在了一起，久别重逢的激动和喜悦，溢于言表。

"韩处长，您和李区长认识？！哈哈……那咱们是一家人了！来来来，别去煤场了，你俩先坐下叙叙旧……"

高主任喜出望外，一边吆喝小赵上茶，一边让韩雨田和李新生坐下慢慢聊。高主任向韩雨田介绍了穿旗袍的那位女子，说这是他女儿高丽娜。

高丽娜大大方方地伸出纤细的小手，紧紧地握住韩雨田的手，说："韩处长，我听新生说过您，说你们是一起从越南海防市的富裕家庭逃出来，到延安参加共产党领导下的革命队伍的。"

韩雨田与高丽娜握了一下手，很不自然地与她寒暄了两句。

高丽娜大约二十三四岁，面容一般，与为革命牺牲的隋晓梅相比逊色了很多。她称呼李新生为"新生"，可见两人的关系已经不一般……

李新生也从他的角度向韩雨田介绍了高丽娜。李新生说："雨田兄，丽娜是我的女朋友，我们相识大约半个月光景了。"

说完，又问韩雨田："雨田兄，你呢？结婚了没？"

韩雨田回答李新生说不但没结婚，恋爱还没谈过时，李新生叹口气说："雨田兄，解放战争即将胜利，我们这些革命者的使命也算完成了。过去，疆场杀敌，戎马十年，现在该结婚成家，享受一下生活了！"

在高主任父女面前，韩雨田觉得李新生与十年前相比，不但陌生了许多，在行为上还有种格格不入的感觉。

两人分别介绍了各自的情况。李新生说：他参加队伍不久，就在冀中当上了游击队大队长，带领游击队员在平原地带和敌伪军展开地道战、青纱帐战、麻雀战等，立了七次战功。后来，又到冀中军分区独立旅二团任参谋长。抗战胜利后，晋察冀军区大裁军，他因有华侨中学学历，便转业到了河间县担任主管文教和经济的副县长。解放军攻克石家庄后，晋察冀边区政府为充实大城市的干部队伍，又把他调到石家庄南区政府任区长。

韩雨田瞅瞅光明矿业公司的高主任，又看看派头十足的李新生，心想：一个是大权在握的区长，一个是私营企业主，两人恐怕少不了金钱上的交易。

时近中午，韩雨田起身要走，高主任竭力挽留，李新生也以老同学加主人的身份拦住了他，说："雨田兄，我知道革命队伍的纪律，不占老百姓便宜，不拿老百姓一针一线。可今天的情况不同，我不是普通老百姓，我是你的老同学，又是市南区地方政府的领导，你给我们市南区的最大公司办理贷款，我请你吃顿饭，有什么问题呢？"

最终，韩雨田还是没能推脱掉，便硬着头皮跟着高主任和李新生去了一家档次比较高的饭店。饭桌上，除了他们三人，还有高丽娜和公司秘书小赵。

李新生点了满满一桌子菜，有鱼有鸡，还有几样山珍海味。

看着那些大碗小碟的菜肴，韩雨田禁不住有点心疼。

那顿饭，一共花了四十五元华北银行新钞。当然，不是李新生出的钱，而是光明矿业公司掏的腰包。

韩雨田想，我一个月的津贴才十元钱，估计李新生也多不到哪去，即使拿出一个人四个月的津贴也不够这顿饭钱。

饭桌上，李新生不断地向韩雨田敬酒，说革命成功了，我们应该享受享受了。他还指着小赵，半真半假地跟韩雨田开玩笑说："雨田兄，你看小赵漂亮不？她今年二十二岁，你们都单身，哪天约个会，处个朋友如何？"

李新生的话让没喝酒的小赵面红耳赤，她羞羞答答地看了韩雨田一眼，急忙低下头去。

此时的韩雨田，想的是红色银行的工作，想的是革命，想的是为共产主义奋斗终生，还没想过交朋友、谈恋爱的事儿。

韩雨田说："新生，你还记得当年我们和马得草在那个山洞前改名字的情景吗？我们把共产党当成了照耀我们前进的太阳，发誓一辈子跟着共产党走，向

向着太阳走

着太阳走,为了劳苦大众我们要一心为公,革命到底。现在,革命尚未成功,共产主义的远大理想还没实现,你怎能只顾享受不想奉献了呢?"

李新生嘿嘿一笑,一边点头赞成韩雨田的说法,一边有滋有味地吃着山珍海味,喝着山西竹叶青酒。偶尔,还和高丽娜玩笑几句。吃喝说笑,一副正在享受美好生活的样子。

饭局结束后,在韩雨田的坚持下,大家一同去光明矿业公司的煤场看了一番。

目测那黑油油的堆成了小山样的煤炭,韩雨田原则上同意了他们的贷款申请。他对高主任说,回去后他还要向关副总经理详细汇报,争取早日把贷款批下来。

分手前,李新生拉着韩雨田的手,躲开高主任父女俩和小赵,悄声说:"雨田兄,能不能多贷五万啊?"

韩雨田歪着头,问李新生:"为何要多贷五万呢?"

李新生犹豫片刻,说:"唉,我来石家庄还没几个月,政府那边财政特别紧张。区政府办公室破破烂烂的,真是丢尽了共产党的脸啊!我——到现在,连一辆吉普车都没有……"

韩雨田明白了李新生的意思,他是想借光明公司贷款之机捎带私货。这种事情,别说已违背信贷原则,即使不违背,也不能给总想贪图享乐的李新生开口子。

韩雨田坚定地拒绝了李新生的要求。李新生面色难堪,尴尬地和韩雨田说了声"再见"。

后来,李新生约过韩雨田几次,韩雨田均以种种借口推辞了。韩雨田觉得自己和李新生之间已经竖起了一堵高墙,而且是又高又厚的墙,但他希望这堵墙自己永远不要逾越过去。

1948年9月初,韩雨田所在的华北银行下发了一份石家庄市党委组织部的文件。在这份文件上,通报了几起党员干部进城后抵不住大城市繁华生活的诱惑从而走向了犯罪道路的案件。在那些罪犯中就有李新生，并且他的罪行很严重，包括贪污受贿、乱搞男女关系、生活奢靡、铺张浪费等数项罪名。

李新生被撤销了区长职务，并被开除了党籍。

这件事对韩雨田的影响极大，不亚于当年的黄克功事件。毕竟，韩雨田不认识黄克功，而李新生却是跟他一起奔向延安的老同学、老战友。

1948年12月1日，华北银行与北海银行、西北农民银行合并，在石家庄成立了中国人民银行并开始发行人民币。届时，所有公私款项收付及一切交易，均以人民币为本位货币。

33

五星红旗升起　向着太阳走去

中国人民银行成立后，南汉宸被任命为行长。

南汉辰是 1926 年入党的老党员，他不怕牺牲，勤勤恳恳，忘我工作，为中国人民的解放事业立下了汗马功劳。伴随着全国即将解放的隆隆炮声，南汉宸和大家的心情一样，时刻准备迎接中华人民共和国的第一缕曙光。

一天，南汉宸走进一座略显破旧的"小灰楼"里，发现营业室里有一群衣着朴素的工作人员正在紧张地忙碌着，其中一位年轻人引起了他的注意。这位年轻人用双手拨打算盘，他衣着紧致，扣子系得整整齐齐，目光炯炯有神，看上去沉稳精干。在解放区很少能遇到双手打算盘的人，南汉宸仔细观察了一番，觉得这位年轻人的气质和一般人有所不同。他问身边的陪同人员，才知道这个人的名字叫韩雨田。他让秘书拿来韩雨田的档案：1938 年从越南回国，入延安陕北公学、中央党校学习，同年加入中国共产党，曾任晋察冀边区银行发行科副科长、华北银行业务处副处长。

南汉宸久历战争，思维敏锐，他认为选拔人才首要的条件必须是政治上可靠，在党的金融战线的核心机构工作的人更应该如此，在此基础上能精通业务更好。看完韩雨田的简历，南汉宸对他在延安时期在延安公学和中央党校的学习情况以及在根据地银行的工作情况很满意，并且对他精通银行业务、擅长平账与查账等能力特别欣赏。

南汉宸让秘书把韩雨田叫到了他的办公室。韩雨田敬礼之后，南汉宸笑盈盈地站起来，伸手示意他坐在自己的对面。

"小韩，简单说一下你的工作和学习情况，还有，你对目前的工作有什么意见和建议？"

南汉宸像慈爱的长者一样跟韩雨田说话，完全没有上级领导的威严面孔。

韩雨田轻声说："我参加银行工作时间不长，接触的业务也不是太多，我是一边工作一边学习，心里只有一个标准：就是把工作做好，让党和人民满意……"

南汉宸认可地点点头，说："组织上研究过了，决定把你调到总行，协助总行成立人民银行的工作。"

韩雨田听了有些激动，虽然他在基层工作已经轻车熟路，但对人民银行总行的工作还是很陌生的。他略显胆怯地说："我怕担负不了如此重任，辜负了领导的信任和重托！"

南汉宸说："党和组织相信你，你就放心地工作吧！"

南汉宸看了看手表，整个谈话进行了半个小时。他起身把韩雨田送到门口，又叮嘱道："以后，你要放手大胆工作，有什么困难就来找我。"

南汉宸为了考察韩雨田的工作能力，每当需要什么数据和资料，他就让秘书通知韩雨田提供，韩雨田总是准确无误地把材料提供给领导。他雷厉风行的工作作风给南汉宸留下了深刻的印象。

韩雨田这个从战火硝烟中走出来的富家子弟，经过出生入死的严酷环境的考验，对人、对事都能放下自我，倾注满腔热情去工作，并知道轻重缓急。

夜深了，韩雨田坐在油灯下，一种崇高的使命感让他难以入眠。他没有想到自己能够被德高望重的南行长看中，调入人民银行总行工作。他在日记中写道：父母对我有养育之恩，党组织对我有培育之恩，南汉宸行长对我有知遇之恩。党组织就是灯塔，照耀我前行的方向。我愿意为新中国的金融事业谱写新的篇章。

这些日子里，韩雨田通宵达旦地筹备中国人民银行的挂牌庆典。他经常被

向着太阳走

南汉宸行长叫到办公室,聆听了一番嘱托后,走出办公室便立即认真复查各项准备工作。

1948年12月1日,在河北省石家庄市的"小灰楼",中国人民银行宣告成立,同时发行了第一套人民币。

这是冬天里一个难得的晴天,即将挂牌成立的中国人民银行的"小灰楼"前,摆满了一盆盆粉红、雪白、金黄的布制花朵。在石家庄这座饱经战争、历尽沧桑的城市里,万物肃杀的冬季竟然出现这般鲜艳夺目的色彩,自然围观者众。

《人民日报》头版头条刊登关于中国人民银行成立的消息

上午9时，"小灰楼"前站满了参加庆典的人群：左边第一队，是银行的二十名职员，大家穿着统一的灰色制服，笔直地站立在那里；第二队是前来道喜的嘉宾，身着酱黄、大红、黑色等对襟夹层上衣，一个个满脸笑容，彼此拱手致意。

"凤律新调三阳开泰，鸿犹丕振四季亨通""根深叶茂无疆业，源远流长有道财"等大红金字绶带，随着微风轻轻飘摆，宛如少女舞动的飘带。

韩雨田身着黑色中山装，左胸前别着一束鲜红的布花，和煦的阳光照射在他白皙而又刚毅的脸上，愈发显得朝气蓬勃、充满活力。

1949年2月，中国人民银行由石家庄市迁入北平。

辽沈、淮海、平津三大战役结束后，国民党发动内战的主力已基本被歼灭，中国人民解放军挺进到长江北岸。统治中国二十二年之久的蒋家王朝已陷入土崩瓦解的绝境，新中国诞生的条件已经成熟。

1949年6月，中国人民政治协商会议筹备会议决定，1949年10月1日在北京天安门广场举行开国大典。

1949年9月21日至30日，中国人民政治协商会议第一届全体会议在北平中南海怀仁堂召开，协商成立中华人民共和国有关事宜的会议。会议通过了《中国人民政治协商会议共同纲领》，选举中华人民共和国中央人民政府委员会，选举毛泽东为中央人民政府主席。大会规定以五星红旗为国旗，以《义勇军进行曲》为代国歌，以北平为首都并改名为北京，采用公元纪年。会议还通过了《中华人民共和国中央人民政府组织法》，把中国人民银行纳入中央人民政府政务院的直属单位系列，接受财政经济委员会指导，与财政部保持密切联系，赋予其国家银行职能，承担发行国家货币、管理国家金库、稳定金融市场、支持经济恢复和国家重建的任务。

1949年10月1日上午，韩雨田与中国人民银行总部的部分同事在南汉宸行长的带领下，早早地走进了天安门广场。大伙儿午饭都顾不得吃，便在那里兴奋地等待中华人民共和国开国大典举行，等待再次看到伟大领袖毛泽东。

向着太阳走

下午3时,大地欢声雷动。刚刚就职的中华人民共和国中央人民政府主席毛泽东和副主席朱德两位伟人一前一后,最先登上了天安门城楼。当林伯渠秘书长宣布大典开始后,在代国歌《义勇军进行曲》的雄壮乐曲声中,中央人民政府主席、副主席和委员就位。毛泽东主席庄严宣布:"中华人民共和国中央人民政府今天成立了!"

他亲手按动电钮,第一面五星红旗在天安门广场上冉冉升起。全场肃立,向国旗行注目礼。广场上,五十四门礼炮齐鸣二十八响,象征中国共产党领导全国人民艰苦奋斗二十八年的光辉历程。

升旗之后,毛泽东宣读了《中华人民共和国中央人民政府公告》,紧接着举行了规模浩大的阅兵式和群众游行。庆祝活动持续到当天晚上9点多钟才结束。

这一天,韩雨田站在天安门广场上,亲耳聆听国歌的第一次公开奏响和毛泽东主席的那一声庄严宣告,亲眼看着鲜艳的五星红旗冉冉升起,迎风飘扬。随后,又加入庆祝中华人民共和国成立的游行队伍滚滚洪流中。他无比激动和兴奋,年轻的脸庞仿佛是在太阳的映照下红彤彤的,充满青春活力。此时的他壮志满怀,心中不断地重复一句话:共产党是太阳,我要永远向着太阳走!

大典结束后,韩雨田认真分析了当前工作上的优势和劣势。他认为,从根据地一路走来的银行干部人数较多,大部分人长期在农村打游击,对城市里新的工作任务还很陌生,对即将接管的现代化银行业务、外汇和国际清算更是一无所知。面对这些困难,韩雨田积极主动向南汉宸行长建议,采取"三招"有力措施:第一招是搭"黄金台",招贤纳士;第二招是用人所长,不拘一格;第三招是"五湖四海,兼容并包"。他的建议,得到了南行长的赞赏。

韩雨田认为,建国初期国家需要各方面的人才,用好人才可以避免"盲人骑瞎马",减少黑暗中摸索前进的过程,才能快速取得工作进展。在秉持用人之才的前提下,既要考虑思想品德,也要顾及业务能力。他大胆延揽经济界、金融界人士到银行工作,四行、二局、一库的职员和业务顶尖人才,他一律推荐重用。

韩雨田的识人用人工作思路，得到了行领导们的集体认可，为金融接管和整顿带来了源头活水，加快了各大银行、民间钱庄等金融机构融入中国共产党领导的国营银行体系的步伐。

至1949年底，中国人民银行在接管官僚买办银行的基础上，建立起华北、中南、西北、西南四个区行，四十个省、市分行，一千二百多个县（市）支行和办事处，加上中国银行、交通银行和中国人民保险公司，全国共有金融机构达一千三百零八个，职工八万余人。

新中国的金融系统在韩雨田等银行干部和职工的辛勤努力下，一片欣欣向荣的景象。随着中国人民银行体系的建立，其发行货币、管理全国金融并全面办理各项业务的职能完全体现了出来。在中国人民银行体系缔造过程中，韩雨田等红色银行人呕心沥血，丹心一片，凭借自己的智慧和旺盛的精力，出色地完成了组织上赋予的各项工作任务。

韩雨田经历了十多年艰苦岁月的磨砺，厚积薄发，这才背负起新中国金融事业那份沉甸甸的行囊，向着太阳阔步前行在服务于人民的康庄大道上。

后　记

2019年10月的一天，我在中国农业银行老干部局工作人员的陪同下，来到了韩雷同志家中。离开韩家时，正值黄昏，天空中彤云向晚，红日昭昭。从那次之后，我与韩雷同志的缘分开始了。三年来，我的大部分时间都放在了这位百岁老人身上。

我受当时农业银行总行党委的委托，为这位曾掌舵农业银行的即将百岁的老人立传。据农业银行党委宣传部的同志说，这次写作任务由我担任主笔是经过激烈讨论后的结果。我的党员身份、农行员工身份和当兵经历，给予了我得天独厚的条件。加之在农业银行工作的这三十年间，我写了不少材料，也发表过不少作品，可以说国内的大报大刊我基本都上过，在业余作家中算是创作成果丰硕的那批。农业银行许多获得国家级别奖励、荣誉的职工，他们的事迹材料我经常撰写。饶是如此，接到任务通知时我还是感到笔重千钧，压力如山。

戴相龙同志被业内人士称为韩雷同志的大弟子，得知农业银行决定为其老师树碑立传的消息后十分欣喜。他主动提出成立专门的创作小组，由自己担任组长，负责协调各方资源，为我们创造良好的写作环境。我的老领导朱洪波，现任光大集团党委副书记、监事长，曾任中国农业银行副行长，早期是韩雷同志的秘书，任小组的副组长。加上时任农业银行党委宣传部、企业文化部总经理的赵文生同志和我，这个四人创作小组就此成立。为了写好《信仰》（后改名为《百岁韩雷》）这本书，我们从2020年开始，先后在中国人民银行召开了7次创作研讨会，就书的内容和各方的意见进行了深刻的讨论，并拿出了初稿，计划在党的百年华诞之前出版。2020年10月5日，我陪同戴相龙、史纪良、杨明生、朱洪波等领导以个人名义赴韩雷同志家中为他庆祝百岁华诞。我们都撰写了诗文为他贺寿，并将《百岁韩雷》的初稿呈送他审阅。我们将部分内容读给韩老听,他觉得有些章节把他拔高了,说他自己只是党的一位普通的金融工作者,没有我们写得那么伟大。后来,遵照他的意见我们又进行了修改,想着等他身体状况好转之后再呈他过目。韩雷同志从2021年春节期间开始身体状况就不太乐观,一直在住院。没想到,这一等,就是阴阳两隔。

2021年11月14日,中国农业银行发布讣告:中国农业银行原行长韩雷同志因病医治无效,于2021年11月14日8时40分在北京逝世,享年101岁。这本原计划于党的百年华诞之前出版的书,因各方面原因,只能暂时作罢。

2021年11月20日,我到协和医院参加了韩雷同志的遗体告别式,悲痛不已,写下了小诗《木棉花》:

> 我从北京南来,
> 准备去盛开木棉花的广东南海,
> 去寻找那棵高大的木棉树。
> 站在树下,
> 却没有看到血红的花朵。
> 在这个深冬的季节,
> 本想放下一切,
> 再看一眼英雄的树和花,
> 再看一眼撞击灵魂的艳红,
> 看看那段史诗般的人生。
> 然而,
> 在巨大树冠的枝下,
> 我接到了领导的微信,
> "韩雷老行长很安祥地走了"!
> 我感到心狂跳,
> 急忙扶树站稳。

难怪木棉花坠落，

难怪晴朗的天，

猝然下起了绵绵细雨。

当天我赶回北京，

心想，

一定要送老人家一程。

十九号那天晚上，

失眠的我凌晨难以入睡。

我赶到协和医院时，

忘却了带身份证。

几经周折，

来到医院的告别厅。

空无一人的厅堂，

除了摆放整齐的花圈，

寂静无声。

我突然感到伤感，

泪水蒙住了眼睛。

2021年11月26日，戴相龙同志在《金融时报》发表了《追思韩雷同志》一文，用文字记录他与老师的点滴，表达对已在天国的老师的感激和思念之情。

韩雷同志去世后，我一直有惴惴不安之感，许是因最终未能在他去世前将书出版的遗憾所致。我时常从书架上拿出《百岁韩雷》的初稿样书，翻看稿子，思绪万千。

为了写好这本书，我过去两年的主要精力都放在了搜集、整理与写作上。这两年间，我到过韩雷同志的祖籍广东省南海市泌冲乡，到过延安陕北公学旧址，到过晋察冀边区银行、伪蒙疆银行旧址，到过韩老下放时待过的五七干校，还到过许多韩老曾重点调研的地区；我多次拜访韩老，并与其女儿韩海珊讨论书的内容，求证一些事迹的真实性，还采访过韩老的多位同事、下属。在书的内容方面，我们可以说是十易其稿，不断地精研、打磨，力求把韩老这位有着80多年党龄、年逾百岁的红色金融家波澜壮阔的一生用真实的笔墨呈现出来，给后来者以启迪和鼓舞。红星照耀中国。在20世纪30年代，有这样的一批人，他们不畏艰难、不计得失，冲破重重险阻，奔赴延安，为了红色理想，为了那心中的红太阳。

某日，我正翻看《百岁韩雷》初稿，突然想到：既然《百岁韩雷》暂时无法出版，何不把韩老的事迹改成小说呢？小说更具故事性，会吸引更多的读者，如此会有更多的人读到韩老的英勇事迹，受其感染而进步。我自认为是一名合格的小说写作者，自己出版过多部长篇小说，大大小小的小说奖项也得过不少。有了过去两年的积淀，我对韩老的事迹可以说是烂熟于心。于是我开始动笔，以"韩雨田"为主人公，以讲故事的方式，将韩老在新中国成立前的事迹写成了这部长篇小说——《向着太阳走》。

"雨田"是"雷"字的拆分，我将韩老的事迹也分为两段。《向着太阳走》这本书讲的是韩老参加革命的故事，一个红色金融家早期的革命历程。至于韩老在建国后的金融工作经历，我一直在考虑究竟以何种形式记录下来更合适。继续以小说形式写的话难免要大动干戈，如以报告文学的形式则会涉及太多专业的金融知识，容易给读者造成阅读障碍。也许本书会有续集，也许是别的体裁。总之，写韩雷同志首先出于我对老一辈革命者的钦佩和敬仰，其次既是我身为农行培养出来的作家的责任，更是我身为共产党员的初心与使命。

斯人已逝，生者如斯。希望我们心中永远有着红色信仰，一生都坚定地向着太阳走。

闫星华

2022年3月2日